Die Engländer pauschal Kaum etwas verbindet die
Menschen mehr als die Bestätigung insgeheim gepflegter
Vorurteile.

Eine Tasse Tee, die Wachablösung vor dem Buckingham
Palace, *Cricket*, Gartengnome mit Angelrute, Schlange ste-
hen, Richter in historischer Kostümierung, Pferderennen
und Whisky gehören genauso zum *English way of life* wie
Common sense, sexuelle Gehemmtheit und schlechtes
Wetter.

Gemeinsam ist allen Engländern eine Vorliebe für Tiere,
Exzentriker, bizarre Architektur und feine Ironie. Sie lassen
sich nicht gerne überraschen, und wofür sie wenig Verständ-
nis aufbringen, sind Ausländer. Also überraschen wir sie,
indem wir *sie* zu verstehen versuchen.

In derselben Serie sind mittlerweile über 20 Bände erschie-
nen: ›Pauschal international‹ über die anderen Sitten anderer Völker (einschließlich eines Bandes über ›Die Deutschen
pauschal‹) und ›Pauschal regional‹ über die Menschen in
den deutschen Landschaften.
Hinweise auf diese Bände am Ende des Buches.

Antony Miall wurde im englischen Lake District geboren
und wuchs in Royal Tunbridge Wells auf. Dort leben beson-
ders viele ›typische‹ Engländer. Neben einer Tätigkeit als
Konzertpianist schlug er eine zweite Berufslaufbahn als
Public-Relations-Berater und als Autor ein. Antony Miall ist
Vater einer Tochter und lebt heute in Wandsworth.

Die Engländer pauschal

Von Antony Miall

Aus dem Englischen von Oliver Koch

Fischer Taschenbuch Verlag

Redaktion: Stefan Zeidenitz

4. Auflage: Oktober 1998

Deutsche Erstausgabe
Veröffentlicht im Fischer Taschenbuch Verlag GmbH,
Frankfurt am Main, April 1997

Die englische Originalausgabe erschien unter dem Titel:
›The Xenophobe's Guide to The English‹
bei Ravette Books Ltd., Horsham
© Oval Projects Ltd., London 1993
Für die deutschsprachige Ausgabe:
© Fischer Taschenbuch Verlag GmbH, Frankfurt am Main 1997
Kartographie: Räppi
Druck und Bindung: Clausen & Bosse, Leck
Printed in Germany
ISBN 3-596-13493-5

Inhalt

Fremd ist der Fremde nur in der Fremde
Karl Valentin

Norden

Die Engländer

Süden

Ausländer

Ausländer   Ausländer

Umgeben von nicht vertrauenswürdigen Ausländern leben 48 Millionen Engländer auf ihrer Insel. (Verglichen mit 4 Millionen Norwegern, 5 Millionen Dänen, 80 Millionen Deutschen, 15 Millionen Niederländern, 57 Millionen Franzosen und 39 Millionen Spaniern auf dem Kontinent.)

Nationalität & Identität

Vorwarnung

Das Wort *Xenophobie* stammt zwar aus dem Griechischen, aber seine geistige Heimat befindet sich im englischen Wörterbuch, wo es, ziemlich abstrakt, als »abstraktes Substantiv« definiert wird.

Diese Definition ist irreführend. Es handelt sich in Wirklichkeit um ein sehr konkretes Wort, ja sogar um ein sehr alltägliches Wort, dem überhaupt nichts Abstraktes anhaftet. Denn *Xenophobie* ist ein englischer Nationalsport – die am weitesten verbreitete Ausdauerleistung der englischen Kultur. Und dafür gibt es gute Gründe.

Was die Engländer angeht, können alle großen Probleme des Lebens auf einen einzigen Punkt gebracht werden: Ausländer.

Es ist über neunhundert Jahre her, daß England von einer Invasion heimgesucht wurde. Die Eindringlinge waren die Normannen. Es gelang ihnen zwar, auf der Insel Fuß zu fassen, und sie bemühten sich sogar, sich in die eingeborene Bevölkerung zu integrieren. Aber dieser Versuch war zum Scheitern verurteilt.

Damals – wie heute – zeigte ihnen die englische Bevölkerung lediglich die kalte Schulter. Nicht bloß, weil sie als Eroberer gekommen waren, nein, vor allem, weil sie aus dem Ausland gekommen waren.

Falls die Abkömmlinge solcher Normannen glauben, mit der beiläufig hingeworfenen Bemerkung, sie stammten aus einer Familie, »die schon mit Wilhelm dem Eroberer rübergekommen sei«, jemanden beeindrucken zu können, werden sie selbst heutzutage nichts weiter als die kühle Indigniertheit zu spüren bekommen, mit der die Engländer das Entweichen eines Darmwindes in einem Lift quittieren.

Der wahre Engländer behandelt sie nicht anders, als er schon die Römer, die Phönizier, die Kelten, die Jüten und die Sachsen (und in jüngerer Zeit alle anderen Völker und darunter ganz besonders die Franzosen) behandelt hat – mit höflicher, aber unerschütterlicher Geringschätzung.

Im übrigen bevorzugen die Engländer gegenüber dem Wort *Xenophobie* das Wort *Xenolipi*. Das bedeutet auf gut englisch soviel wie: Schade, daß es ein Ausländer ist. (Da es sich aber bei beiden um Fremdwörter handelt, kommt ihnen von vornherein nur eingeschränkter Erklärungswert zu.)

Alles in allem verhält es sich mit der *Xenophobie* wie mit dem *Cricket*spiel, dieser geradezu urenglischen Sportart. Man betreibt es sein ganzes Leben lang, und es ist offenbar wichtiger, es immer wieder zu spielen, als dabei zu gewinnen – eine Haltung, die mehr an Konfuzius als an den berühmten englischen Expeditionsreisenden Carruthers erinnert.

Damit ist man nun konfrontiert. Es ist zwecklos, sich auszumalen, wie es wäre, diese Mauer zu überwinden, an der schon so viele gescheitert sind. Aber da die Engländer sich geradezu damit brüsten, daß sie gar nicht dazu imstande seien, Fremde zu verstehen, könnte man sich einen Spaß daraus machen, ihnen ein Schnippchen zu schlagen, indem man den Versuch unternimmt, *die Engländer* zu verstehen.

Wie sie die anderen sehen

Die englische Sicht auf Ausländer ist sehr einfach. Je weiter man sich in einer beliebigen Richtung von der englischen Hauptstadt entfernt, desto exotischer kommen einem die Leute vor.

Was ihre Nachbarvölker auf den Britischen Inseln anbelangt, so hegen die Engländer nicht den geringsten Zweifel an ihrer eigenen naturgegebenen Überlegenheit. Diese Haltung entspringt nicht etwa einem kleinlichen Vorurteil, sondern wird eher als eine Art wissenschaftliche Tatsache betrachtet. Die Iren werden günstigstenfalls als wildgewordene Exzentriker angesehen, schlimmstenfalls als vollkommen verrückt. Die Waliser gelten als unaufrichtig und die Schotten als sauertöpfisch und hinterhältig.

Solange man denken kann, waren die Franzosen Sparringspartner im Ringen der Völker; daraus hat sich auf seiten der Engländer eine Haßliebe-Beziehung entwickelt. Die Engländer lieben Frankreich. Das dortige Essen und die Weine des Landes werden genauso hochgeschätzt wie das Klima. Unterschwellig halten die Engländer nach wie vor an der überkommenen Vorstellung fest, daß die Franzosen eigentlich gar kein Recht haben, in Frankreich zu leben. Dies findet seinen Ausdruck darin, daß sich alljährlich Tausende von Engländern Mühe geben, die besonders anziehenden Regionen Frankreichs in niedliche kleine englische Grafschaften zu verwandeln.

Das französische Volk hingegen gilt als heuchlerisch, unhygienisch und zu sexuellen Exzessen geneigt.

Das Verhältnis der Engländer zu den Deutschen ist weniger zweideutig. In ihren Augen sind die Deutschen größenwahnsinnige, rüpelhafte Herdentiere, die zum Ausgleich nicht einmal über herausragende kulinarische Fähigkeiten verfügen. Die Tatsache, daß ihr eigenes Königshaus deutschen Ursprungs ist, wird dabei stillschweigend übergangen, und gleichzeitig machen die Engländer keinen Hehl daraus, daß sie die Deutschen gern haben. Wenn sie einen Deutschen kennenlernen, versuchen sie stets daran zu denken, »mit keinem Wort den Krieg zu erwähnen«, während sie insgeheim nachrechnen, ob dieser Deutsche alt genug sein könnte, um darin mitgekämpft zu haben.

Was die übrigen Völker Europas anbelangt, so gelten, durch die englische Brille gesehen, die Italiener als hysterisch und unehrlich, die Spanier als faul, die Russen als schwermütig, die Skandinavier, Holländer, Belgier und die Schweizer als uninteressant. Auch in weiter entfernt liegenden Dunstkreisen findet sich das englische Gehässigkeitsodium noch in durchaus bemerkenswerter Konzentration. Amerikaner und Australier sind vulgär, Kanadier langweilig und sämtliche orientalischen Völker so undurchschaubar, daß man vor ihnen stets auf der Hut sein muß.

Natürlich findet man all dies nur heraus, wenn man eifrig am Schlüsselloch horcht, denn wenn die Engländer einem gegenüberstehen, werden sie sich immer nur von ihrer besten Seite zeigen und überaus charmant lächeln. Sie geben sich bis zum Umfallen tolerant. In Tat und Wahrheit schätzen sie an Ausländern nur deren Rücken – sobald sie ihnen diesen zugedreht haben, ziehen die Engländer über sie her.

Nordengländer – Südengländer

Die Engländer hegen ein angeborenes Mißtrauen gegenüber allem, was ihnen nicht vertraut ist. Dies tritt nirgendwo deutlicher in Erscheinung als innerhalb ihrer eigenen Geographie. Seit unvordenklicher Zeit gibt es einen tiefen Graben zwischen Nord und Süd.

Für einen Engländer aus dem Süden endet die Zivilisation in der Gegend von Potters Bar, also am Nordrand von London. Jenseits davon, so glaubt er, haben alle eine weiß-rötliche Gesichtsfarbe, eine stärkere Körperbehaarung, und sie sind von einer Direktheit, die man nur als Grobheit bezeichnen kann. All dies wird mit einer gewissen Großmütigkeit auf das dort herrschende kältere Klima zurückgeführt.

Im Norden von England werden die Kinder mit Gruselgeschichten über die Verschlagenheit von »denen unten im Süden« ins Bett gesteckt. Immer wieder wird auf deren Weichlichkeit hingewiesen, auf ihr fades Essen und ihre Lalila-Unverbindlichkeit bei allem, was wirklich wichtig ist.

Nichtsdestotrotz hat jeder Engländer und jede Engländerin, wie weichlich oder behaart sie auch immer sein
mögen, Anspruch auf eine bevorzugte Behandlung, wie
im übrigen ebenfalls, wenn auch mit gewissen Abstufun-
gen, die Bewohner derjenigen Länder, die Englands Gewissen ausmachen – einstmals war dies das Empire, nun
ist es das schrumpfende Commonwealth.

Wie sie von anderen gesehen werden

Auf Außenstehende wirken die Engländer undurchschaubar. Sie zeigen kaum Gefühlsäußerungen. Bei Verärgerung reagieren sie weniger mit Langsamkeit als vielmehr
mit einem gewissen Beharrungsvermögen, und an den
Freuden des Lebens scheinen sie nicht interessiert, ja,
sie verursachen bei ihnen Unbehagen und Abwehr.

Ihre Vorlieben beim Essen sind für andere nicht nach-
vollziehbar, besonders für die Franzosen nicht. Und da
die Engländer es kaum über sich bringen, etwas direkt
zu sagen oder zu irgend etwas eindeutig Stellung zu beziehen, werden sie in der Regel mißverstanden.

Wie kein anderes Volk haben die Engländer einen Sinn
für historische Kontinuität, und daher scheint es so, als
ob sie immerzu im eigenen Saft schmoren, unbeeindruckt von dem, was in der Welt um sie herum vorgeht.
Überraschenderweise haben Nicht-Engländer aufgrund
all dessen eine Art zähneknirschenden Respekt vor diesen Inselbewohnern. Teils, weil man sich gut über sie
amüsieren kann, teils, weil sie so im Einklang mit sich
selbst stehen.

Sie mögen auf faszinierende Weise schrecklich sein, aber man weiß, woran man mit ihnen ist.

Wie sie sich selbst sehen

Die Engländer glauben nicht nur, daß sie allen anderen Völkern überlegen sind. Sie glauben auch, daß alle anderen Völker insgeheim wissen, daß dem so ist.

Sie halten sich selbst für geborene Hauptdarsteller und Geschäftsführer, der Anspruch, eine führende Nation oder gar eine Großmacht zu sein, fällt ihnen ganz selbstverständlich zu. Ihre Situation in der Geographie bestärkt sie in diesem Glauben, denn aus der Sicherheit ihrer Inselfestung schauen sie rundherum nur aufs Meer. Keinem dieser Insulaner käme es in den Sinn, sich die Frage zu stellen, ob in der Nachrichtenschlagzeile NEBEL ÜBER DEM ÄRMELKANAL – KONTINENT ABGESCHNITTEN eventuell die Akzente falsch gesetzt sein könnten.

Da sie reichlich Erfahrung darin gesammelt haben, »die Dinge am Laufen zu halten«, wie sie es bezeichnen würden, sind sich die Engländer ihrer Verantwortung für andere zutiefst bewußt. Diese nehmen sie sehr ernst, was zur Folge hat, daß sie sich ein Leben lang wie Klassensprecher oder Klassensprecherinnen in der Schule verhalten. Sie sehen es als ihre verdammte Pflicht an, die Schwachen zu beschützen, die Mutlosen zu bestärken und die Rüpel auf ihre Plätze zu verweisen. Dies ist die Rolle, die ihnen das Leben zugeteilt hat, und im großen und ganzen füllen sie sie zu ihrer eigenen Zufriedenheit aus.

Wie sie gerne gesehen werden möchten

Die Engländer würden sich niemals auch nur den Anschein geben, als ob es sie interessierte, was andere von ihnen denken. In ihrem tiefsten Innern hätten sie jedoch nur allzu gerne eine Bestätigung dafür, daß sie um all ihrer gediegenen Eigenschaften willen geschätzt und geliebt werden. Zu diesen Tugenden, die sie in der Welt so selbstlos zu Markte tragen, gehört die geradezu reflexhafte Art, mit der sie die Sache des Zukurzgekommenen verfechten, indem sie den Drangsalierer ihre harte Hand spüren lassen, ferner vollkommene Aufrichtigkeit sowie die heilige Pflicht, niemals ein gegebenes Wort zu brechen oder auch nur dahinter zurückzustehen.

Wenn es eine perfekte Welt gäbe, wären, so denken es sich die Engländer, alle Menschen mehr oder weniger wie sie. Dann, und nur dann, würde ihnen die Anerkennung und die Zuneigung zuteil, die sie so reichlich verdient haben.

Klischee & Vorurteil

Stiff Upper Lip

Die typischste englische Pose besteht aus drei Haupt-
komponenten: das Kinn hochrecken, keine Miene verzie-
hen (= *stiff upper lip*; wörtlich: die Oberlippe darf nicht
zittern) und den rechten Fuß vor. In dieser Haltung ist ein
Gespräch schwierig und jedes nähere Eingehen aufein-
ander unmöglich. Genau darin liegt der Schlüssel zum
englischen Nationalcharakter.

Puritanismus

Der Puritanismus ist bei den Engländern immer auf aller-
fruchtbarsten Boden gefallen. Jahrhundertelang sind
englische Kinder einer gründlichen Gehirnwäsche unter-
zogen worden, indem ihnen Moralprinzipien in Form von
Sprichwörtern wie: »Schweigen ist Gold«, »Leere Schiffe
scheppern am lautesten« und, das bezeichnendste von
allen: »Wir sind nicht auf dieser Erde, um uns zu amüsieren« eingeimpft wurden.

Kein Wunder, wie solche Menschen als Erwachsene
enden. Sie verhalten sich wie die drei klugen Affen, die

nichts sehen, nichts hören und nichts sprechen, und sie sind gehemmt & verklemmt.

Aber dennoch bleiben die Engländer ihren Prinzipien treu und halten sie entgegen aller neuzeitlichen Kritik in Ehren. Vielleicht liegt es daran, daß der Puritanismus bei Strafe ewiger Verdammnis den hart Arbeitenden und Tugendhaften als Belohnung für all ihren Verzicht eine Art Schulpreisverleihung im Jenseits verheißt.

Falls dies tatsächlich der Fall sein sollte, so haben diese armen Puritaner allerdings vergessen, daß ihr Herrgott ebenfalls ein Engländer ist – dieser englische Glaube ist unerschütterlich – und dafür Sorge tragen wird, daß sie sich in seinem Himmelreich auch nicht austoben können.

Dennoch schwelgen die Engländer weiterhin in ihren Gewißheiten, sehr zum Erstaunen der übrigen Menschheit.

Maß halten

Wenn es etwas gibt, das nur den Engländern eigen ist, so ist es ihre kollektive Abneigung gegen alles, »was zu weit geht«.

Zu weit zu gehen heißt für die Engländer unter anderem, zu viele Gefühle zeigen, sich betrinken, in der Öffentlichkeit über Geld reden, zweideutige Witze reißen und laut über sie zu lachen. Die Grenze des Zuträglichen wird in ihren Augen auch überschritten, wenn ein Mann oder eine Frau seine oder ihre Umgebung mit adeligen oder akademischen Titeln traktiert. Die einzige Stelle, wo diese etwas zu suchen haben, ist die Vorderseite eines Briefumschlags.

Angemessenes Benehmen besteht für die Engländer darin, in jeder Situation eine gewisse Gleichgültigkeit zur Schau zu stellen, auch wenn man innerlich am Kochen ist. Selbst in Herzensangelegenheiten wird es nicht als ziemlich betrachtet, seine Gefühle zu zeigen, außer hinter geschlossenen Türen.

A Good Sport

Wenn ein Engländer oder eine Engländerin einen als *a good sport* bezeichnet, kann man sicher sein, daß man tatsächlich akzeptiert worden ist. Dann gilt man wirklich als »ein guter Kerl« und vor allem nicht als Spielverderber. Der Ehrentitel *a good sport* wird so gut wie nie an einen Ausländer verliehen, und auch für ihre eigenen Landsleute ist er nicht selbstverständlich.

Was dieser Begriff umfaßt, geht weit über das Sportliche hinaus. Er bezieht sich ebensosehr auf das Verhalten auf dem Spielfeld wie außerhalb der Arena. Alles, wovor die Engländer wirklich Respekt haben, ist darin enthalten. Wo es auf körperliche Fähigkeiten ankommt, wird der *good sport* sein Spiel machen, ohne daß man ihn vorher bei verbissenem Training gesehen hätte; und im besten Fall wird er einfach aufgrund seiner natürlichen Überlegenheit der Gewinner sein. Er oder sie tun dann so, als sei ihr Sieg eine Selbstverständlichkeit, und zeigen großmütige Anteilnahme gegenüber dem Verlierer.

Man braucht wohl kein Wort darüber zu verlieren, daß ein *good sport* auch ein guter Verlierer ist. Er enthält sich jeglicher Streitereien mit Schiedsrichtern und aller Gesten, die seine Enttäuschung zum Ausdruck bringen könnten. Im Gegenteil, eine Bemerkung, etwa der Art: »Der Bessere hat gewonnen!« wird gutgelaunt in die Runde geworfen und nicht zwischen zusammengebissenen Zähnen hervorgepreßt. Selbst angesichts einer demütigenden Niederlage gehört es sich einfach so.

Davon läßt sich natürlich niemand täuschen, denn gerade die Engländer sind sehr kämpferisch eingestellt, und ganz besonders, wenn es um sportliche Dinge geht. Sie würden es eher verwinden, in der Liebe enttäuscht als auf dem Tennisplatz besiegt zu werden. Aber zu zeigen, wie sehr einen die Niederlage bedrückt, würde zu weit gehen.

Selbstzweifel

Selbstgewißheit und Selbstvertrauen, bei den Engländern offensichtlich in übergroßem Maß vorhanden, zählen paradoxerweise zu den größten Stolpersteinen englischer Wesensart. Wenn man genauer hinschaut, ist beides nämlich ein bißchen aufgebauscht. Was auch immer im Leben geschehen mag, der Engländer zeigt sich mit Vorliebe unbeeindruckt, ja sorglos. Aber tief im Innern wird er von schrecklichen Zweifeln geplagt, ob er einer brenzligen Situation auch wirklich gewachsen ist.

Solange es galt, ferne Reiche zu erobern und fremde Völker an der kurzen Leine zu halten, war es für die

Engländer leicht, solch nagende Ungewißheit im Keime zu ersticken. Für diese Kolonialherren war ihr Welterfolg zugleich auch ein Opfer, das sie auf dem Altar des Selbstvertrauens darbringen mußten.

Aber auf der Achterbahn der Zeitläufte sind die Epochen von Empire und Commonwealth endgültig vorüber, und es geht weiter abwärts. Wie ein lästiges Jucken melden sich damit auch wieder verstärkt die Selbstzweifel, aber es ist verpönt, sich in der Öffentlichkeit zu kratzen.

Nostalgie

Die Engländer haben einen starken Sinn für Traditionen. Weil ihre Vergangenheit so unvergleichlich viel glanzvoller war als ihre Gegenwart, klammern sie sich hartnäckig daran. Mengt man dieser Anhänglichkeit an die gute alte Zeit noch eine reichliche Dosis Sentimentalität bei, so ergibt dies eine berauschende Mixtur, der man im englischen Alltag auf Schritt und Tritt begegnet.

In jeder Stadt und in jedem Dorf florieren die Antiquitätenläden. Englische Wohnungen werden gerne mit alten Möbeln und großväterlichem Zierat ausstaffiert. Das hat nicht nur dekorative Gründe, weil diese Dinge oftmals wirklich schön anzusehen sind; es wird auch aus dem Gefühl heraus getan, daß das, was die Zeiten überdauert hat, einfach besser sein muß als jedes moderne Gegenstück.

Die Engländer mißtrauen generell allem neumodischen Schnickschnack. Nur was echte Patina hat, verleiht in ihren Augen Respektabilität, Chromglanz gilt als aufgesetzt. Also bevorzugt man angeschlagenes Porzellan, antike Teppiche sowie altmodisches Küchen- und Gartengerät, das vom praktischen Standpunkt aus längst hätte ersetzt werden müssen.

»Wenn es für meinen Großvater/meine Großmutter gut genug war, dann ist es auch gut genug für mich!« Dieser Aufschrei ertönt allerorten aus englischem Munde, und jeder Neuerung wird mit der Frage begegnet: »Was war denn an dem alten so schlecht?«

Was die Engländer anbelangt, so gibt es darauf keine befriedigende Antwort.

Erfindungsreichtum

Die Engländer sind unendlich einfalls- und erfindungsreich, aber es ist nicht immer etwas wirklich Nützliches, was dabei herauskommt, und es läßt sich nur selten profitabel verwerten. Den Herren Erfindern in ihren Gartenhäuschen und Hobbyräumen fehlt bei ihren Basteleien einfach der vernünftige weibliche Sinn fürs Praktische.

Der – zu neunundneunzig Prozent männliche – Erfinder entdeckt immer neue ungeahnte Möglichkeiten, um sich die Mühsal des Alltags zu erleichtern und woran außer ihm keiner seiner Landsleute vorher gedacht hat. Also werkelt er Tag und Nacht wie besessen, um so unentbehrliche Dinge wie die sich selbst bügelnde Hose oder den perfekten Eierkocher zu konstruieren.

Gelegentlich kommt dabei allerdings auch etwas wirklich Vielversprechendes heraus, wie etwa der Staubsauger – wovon allerdings seine Landsleute keinerlei Notiz nehmen, wohl aber clevere Ausländer, die daraus ein weltweit erfolgreiches technisches Produkt zu machen verstehen.

Werte & Wandel

Das Leben der Engländer wird von ein paar einfachen Grundvorstellungen und Verhaltensregeln bestimmt, die allgemein anerkannt sind, auch wenn sich nicht jeder daran hält. Woran jedoch jedermann glaubt, ist:

Common Sense

Common sense ist der zentrale Grundwert, der jeden Aspekt des englischen Alltagslebens bestimmt. Es handelt sich um eine Mischung aus praktischer Vernunft und Vor-Sicht. *Common sense* gebietet, stets einen Schirm bei sich zu tragen, falls es regnet, und sich nicht auf eine kalte Steinbank zu setzen, was zu Hämorrhoiden führen kann. Es entspringt *common sense*, stets frische Unterwäsche zu tragen, denn man könnte ja überfahren und ins Krankenhaus eingeliefert werden.

Allgemein gesprochen ist es durch und durch englische Wesensart und hundertprozentig *common sense*, sich niemals auf dem falschen Fuß erwischen zu lassen. Es gilt als unverzeihlich, wenn man nicht alle Risiken und Möglichkeiten im voraus bedacht hat. »Allzeit bereit« lautet die Pfadfinderdevise.

Für die Engländer ist der *common sense* der katego-rische Imperativ, der die Weltgeschichte in Schwung hält und sie ihrer eigentlichen Bestimmung zuführt. Es war *common sense*, der dazu führte, daß die Armada ge-schlagen und das Empire erobert wurden. Und weil es an *common sense* mangelte, kam es zum Untergang von Troja und zur Französischen Revolution und überhaupt zu allem, was in der Vergangenheit woanders schiefge-gangen ist.

Wegen ihres *common sense* finden sich die Engländer oft in einer Außenseiterrolle: Es mag lächerlich wirken, wie sie in ihren Plastiküberziehern an der Riviera herum-laufen, aber wer zuletzt lacht, lacht am besten, wenn der Mistral unerwartet früh bläst.

Natürlich sind sie nicht gegen alles gefeit. Auch einem Engländer kann einmal ein Kondom platzen. Im Falle solcher Peinlichkeiten nimmt er bei jenem anderen ur-typisch englischen Verhalten Zuflucht, das die Franzosen als *le sangfroid habituel des Anglais* bezeichnen – diese ewige Kaltblütigkeit der Engländer.

Das Klassensystem

Dem Engländer ist es wichtig, irgendwo dazuzugehören. Individualismus ist schön und gut und in mancher Hin-sicht ganz empfehlenswert, aber im großen und ganzen ist es ihm viel lieber, Teil einer Mannschaft, einer Gruppe oder eines Teams zu sein. Erst wenn er sich von Men-schen umgeben weiß, mit denen er alles gemeinsam hat oder zu haben glaubt, blüht der Engländer richtig auf.

Dieses Bedürfnis nach Gemeinsamkeit manifestiert sich auf vielerlei Weise. Das historisch gesehen auffälligste Merkmal dieses Herdentriebs ist die englische Vergötzung ihres Klassensystems. Es handelt sich um einen Grundtatbestand des *English way of life*, dessen Bedeutung man gar nicht hoch genug einschätzen kann und den man stets in Rechnung stellen sollte. Es ist der Joker im Spiel des Lebens, die Karte, die sticht oder eben nicht und aus Gewinnern Verlierer macht oder umgekehrt.

Bei allem, was sie tun, sind die Engländer von kämpferischem Sportsgeist besessen, alles artet zu jener Art Wettbewerb aus, bei dem es darauf ankommt, als erster durchs Ziel zu gehen. Und das Klassensystem mit seinen hierarchisch geordneten Gesellschaftsrängen ist nichts anderes als ein Reflex dieser Mentalität. So selbstverständlich es den Engländern vorkommt, daß sie allen anderen Völkern überlegen sind, so stark ist überraschenderweise das Bedürfnis jedes einzelnen Engländers, seine persönliche Überlegenheit innerhalb der eigenen Gesellschaft zu markieren.

Er tut dies, indem er sich in eine Clique hineinmanövriert, in der er sich wohl fühlt. Wenn man dort akzeptiert ist, übernimmt man deren Gebräuche, Gesten, Erkennungsmerkmale aller Art und pflegt eine gewisse Berührungsangst gegenüber anderen Gruppierungen, denen man nicht angehört. All dies beruht auf geschicktem Umgang mit den Regeln, nach denen das Klassensystem funktioniert.

Daß es überhaupt noch funktioniert, ist lebendiger Beweis für so manches; dafür, wie die Engländer ihren Traditionen huldigen, für ihre permanente Furcht vor der eigenen Minderwertigkeit und für den glühenden Wunsch, in den Augen von anderen besser dazustehen. Aus diesem Blickwinkel heraus betrachtet, mag es sogar so scheinen, als ob alles, was mit dem Klassensystem zu tun hat, von wirklich überragender Bedeutung sei, aber ironischerweise haftet dem Ganzen auch etwas Spielerisches an. Und wie bei allen englischen Sportarten ist es eben wichtiger, das Spiel mitzuspielen, als zu gewinnen.

Es entspricht der englischen Tradition, daß es drei gesellschaftliche Rangordungen gibt.

In der guten alten Zeit entsprachen diese drei der überkommenen Einteilung der Gesellschaft in Aristokratie, Gewerbetreibende, Arbeiter & Bauern. Mit dem unaufhaltsamen Aufstieg und der gewaltigen Expansion der gewerbetreibenden Handwerker & Händler, kurz, der Mittelklasse, wurden die Aristokratie und die Arbeiter an den Rand des gesellschaftlichen Spektums gedrückt. Indessen splitterte sich die Mittelklasse ihrerseits in eine obere, mittlere und untere Schicht auf. Rund 98 % der Engländer gehören heutzutage zur Mittelschicht.

Die Aristokratie, die kaum mehr als ein Prozent der Gesamtbevölkerung stellt, steht aufgrund ihrer historisch gewachsenen Position sozusagen von Natur aus in der Oberliga und braucht nicht mehr um den Klassenerhalt zu kämpfen. Sie spielt also nicht mehr mit, nimmt aber noch insofern an den Wettkämpfen teil, als sie die Rolle des Schiedsrichters innehat.

Die Arbeiterklasse ist so gut wie inexistent, bestenfalls ein Prozent der Bevölkerung sind ihr zuzurechnen. Und für die Fußkranken der Nation kommt eine Beteiligung am Spiel um gesellschaftliche Ränge sowieso nicht in Betracht. Also bleibt es der Mittelschicht überlassen, sämtliche Teilnehmer am gesellschaftlichen Monopoly zu stellen.

Sosehr sich die Strukturen der englischen Klassengesellschaft auch verändert haben, das Klassenbewußtsein ist stets vorhanden. Bei einem Interview in den sechziger Jahren hat eine BBC-Reporterin einmal die Grande Dame der Belletristik, Barbara Cartland, gefragt: »Glauben Sie, daß die Schranken zwischen den Klassen mittlerweile bedeutungslos geworden sind?« Barbara Cartland, in ihrer Eigenschaft als Dame Barbara selbst eine Angehörige des – niederen – Adels, beantwortete diese Frage mit zuckersüßer Aufrichtigkeit: »Aber natürlich sind die Klassenschranken bedeutungslos geworden. Oder würde ich sonst hier sitzen und mich mit jemandem wie Ihnen unterhalten?«

Natürlich hat die Dame übertrieben. Klassenschranken existieren nach wie vor, und der Wettlauf, bei dem es darum geht, sie möglichst vor allen anderen zu überwinden, fordert sämtliche Kräfte.

Aus diesem Grund können sich die Angehörigen der Mittelschicht niemals entspannt zurücklehnen. Ständig müssen sie auf dem Quivive sein, in jeder Situation kommt es darauf an, dem »richtigen« Image gerecht zu werden. Dieses Image entspricht der Vorstellung, die man sich selbst von Höherrangigen macht, in der Annahme, daß diese auf ihr Erscheinungsbild Wert legen. Also macht man sich verzweifelte Gedanken darüber, ob man richtig angezogen ist, ob man das Richtige sagt, ob man die richtigen Restaurants aufsucht, ob man im richtigen Stadtviertel wohnt und ob man in Gesellschaft der richtigen Leute gesehen wird.

Zwar ist es nahezu ausgeschlossen, daß man ins Absteigerfeld der gesellschaftlichen Rangordnung gerät, aber ein ruhmreicher Aufstieg hängt vor allem davon ab, daß man auf dem Spielfeld keinen einzigen Fehler macht, wenn man am Zug ist. Und das ist wirklich aufreibend, weil für den Angehörigen der englischen Mittelschicht immer so viel auf dem Spiel steht. Sein soziales Leben ist eine ununterbrochene Abfolge solcher Spielzüge. Er steht permanent auf dem Prüfstand.

Prüfstand Konversation

Die Engländer legen unglaublich viel Wert auf den richtigen Akzent bei der Aussprache. Heutzutage gilt ein regionaler Zungenschlag, ein Dialekt, nicht mehr als verhängnisvoller Makel, aber das, was früher »Oxford-Akzent« oder »BBC-Aussprache« genannt wurde, wird einem Kandidaten des gesellschaftlichen Aufstiegs immer noch von größtem Nutzen sein. Noch wichtiger als der richtige Klang der Vokale ist dabei wahrscheinlich die Verwendung des richtigen Vokabulars. Früher und heute stimmten die Angehörigen der Oberschicht und die Arbeiter darin überein, daß man einen Spaten einen Spaten nennt und niemals ein Erdumgrabegerät.

Obschon wohlerzogene und gebildete Engländer große Meister in der Kunst sind, das, was sie meinen, mit den Worten, die sie sprechen, nicht zu sagen, ist das Vokabular, das sie benutzen, um ihre wirklichen Ansichten und Gefühle zu verhüllen, ausgesprochen deutlich, klar und direkt. Fremdsprachige Wörter werden nicht verwendet, wenn man sich genausogut auf englisch ausdrücken kann (also kann man auf die Serviette verzichten und benützt dafür ein *napkin*). Mit kurzen Wörtern angelsächsischen Ursprungs werden alle körperlichen Funktionen beschrieben. Den wahrhaft Gebildeten sind Euphemismen ein Greuel und blumige Ausdrucksweisen ein Horror.

Das macht es für diejenigen Mittelkläßler schwierig, die Ausschmückung mit geistiger Verfeinerung verwechseln und ängstlich alles zu vermeiden versuchen, was in ihren Ohren grob und vulgär klingen könnte. Bis sie gelernt haben, daß man ein gewöhnliches Abendessen eben als Abendessen bezeichnet und nicht als »Dinner« (und selbst wenn man dazu eingeladen wird, ist dies noch längst keine Dinner-Party!), daß man ruhig im Wohnzimmer sitzen kann und sich nicht im »Salon aufhalten« muß, daß man einen Anzug mit Weste, aber keinen »Dreiteiler« anzieht, daß man getrost aufs Klo gehen kann und nicht die »Toilette aufsuchen« muß und daß man ein Parfüm benutzt und nicht einen »Duft aufträgt«, werden sie die Konversationsprüfung niemals bestehen.

Dasjenige Wort, das sich ein sozialer Aufsteiger unbedingt merken sollte, ist »gewöhnlich« (*common*). Man sollte es häufig verwenden, wenn es darum geht, sich von allem und jedem zu distanzieren, was das eigene Feingefühl verletzen könnte. Es hat keinen Zweck, Protest einzulegen, wenn jemand oder etwas als gewöhnlich abgestempelt ist.

Prüfstand Tischmanieren

Trotz des wachsenden Interesses an gutem Essen gilt die Hauptaufmerksamkeit der Engländer bei Tisch den Ritualen des Servierens und den Manieren der Teilnehmer an einer Mahlzeit. Weil diese Begleiterscheinungen das ungeteilte Interesse der Engländer finden, dürfte dies der härteste Test für die Kandidaten sein.

Wenn zum Beginn einer Mahlzeit eine Suppe gereicht wird, so sollte man sich an die maritimer Übung entspringende Gewohnheit der Engländer erinnern, den Suppenteller schräg von sich weg zu halten. Wenn man den letzten Rest Suppe auslöffelt, läßt es sich auf diese Weise leicht vermeiden, daß einem die Suppe auf Hemd oder Bluse schwappt, falls man von einer Woge überrascht wird. Man sollte auch daran denken, das Messer nicht wie einen Bleistift zu halten. Im übrigen ist *pudding* keine süße Nachspeise, es sei denn, es heißt *sweet pudding*.

Prüfstand Kleidung

Verständlicherweise sind die Engländer in erster Linie darum besorgt, sich warm zu halten. An leichtsinnige Modefuzzys ergeht beständig die Warnung, daß sie sich »zu Tode frieren« werden.

Wie man sich denken kann, orientiert sich der Modegeschmack der Upper-class an der Tradition. Der natürliche Lebensraum des englischen Gentleman und seiner Gattin liegt in ländlichen Gefilden und nicht in der Stadt. Das spiegelt sich in ihrer Garderobe wider. Stumpfen

Brauntönen und gräßlichem Grau wird der Vorzug gegeben, denn diese Farben erinnern die Herrschaften wohl am ehesten an ihre Güter und tragen einen Hauch von Landleben bis in das vornehme Londoner Westend. Dort sind grüne Gummistiefel und Barbour-Jacken mittlerweile genausowenig deplaziert wie Range Rover mit Allradantrieb.

Während alle Moden vergänglich sind, bleibt der *English way of life* immer das, was er einmal war. Manchmal hat man den Eindruck, daß dies auch für die englische Art, sich zu kleiden, gilt. Abendgarderobe muß bei gegebenem Anlaß gekauft werden, sollte aber nicht brandneu aussehen. Genausowenig wie Schul-, Regiments- und Klubkrawatten. Bei Freizeitkleidung steht die Bequemlichkeit an oberster Stelle, nicht ihre äußere Wirkung.

In zunehmendem Maße interessieren sich die Engländer für Mode, sogar für Mode aus dem Ausland. Dies findet seinen Niederschlag in einem ausgeprägteren Bewußtsein hinsichtlich Form und Schnitt. Keinem Designer wird es jedoch gelingen, an der Vorliebe des englischen Mannes für Hochwasserhosen etwas zu ändern. Es sieht immer so aus, als seien sie ein bißchen herausgewachsen.

Prüfstand Liebe

Die Liebe ist ein Phänomen, mit dem unbefangen umzugehen den Engländern nicht leichtfällt. Romantischer Gefühlsüberschwang und die praktische Vernunft des *common sense* lassen sich nur schwer auf einen Nenner bringen. Wer allerdings auf gesellschaftlichen Aufstieg setzt, kommt nicht daran vorbei, sich diesem Problem zu stellen. Dabei geht es um die unter Umständen einmalige Chance, mit einem Sprung gleich mehrere Sprossen auf der sozialen Rangleiter zu überwinden. Durch eine vorteilhafte eheliche Verbindung kann sich ein Aufstiegskandidat in eine überlegene Position manövrieren. Aber selbst die Engländer sind sich darüber im klaren, daß es sich um eine echte *wild card* handelt, wenn man im Spiel des Lebens auf die Liebeskarte setzt. Deswegen machen sie davon nur sehr zögernd Gebrauch.

Wer zuletzt lacht...
Wenn man all diese Eignungstests überstanden hat und es einem gelungen ist, sich eine gewisse gesellschaftliche Akzeptanz zu verschaffen, kann es sein, daß man von den Mitgliedern des englischen Establishments zähneknirschend respektiert wird.

Und am Ende wird man doch nur ausgelacht. Denn wenn man derartige Anstrengungen auf sich nehmen muß, ist man letztendlich der Verlierer dieses Spiels. Als Kandidat für höhere gesellschaftliche Weihen sollte man wirklich jede erdenkliche Mühe walten lassen, außer vielleicht derjenigen, zu viel Mühewaltung an den Tag zu legen.

Sex

Es fällt schwer zu glauben, daß die Engländer sich auf sexuellem Wege fortpflanzen. Denn während für andere Völker Sexualität mehr oder weniger ein Freudenfest ist, wird sie von den Engländern als der innere Feind schlechthin betrachtet.

Dafür tragen der unattraktive Oliver Cromwell und seine Puritaner die Schuld. Ihnen ist es vor vielen hundert Jahren gelungen, dieses überaus menschliche Anliegen buchstäblich unter die Gürtellinie zu verbannen, wo es seitdem nur noch vor sich hin vegetiert. Die Blüte der englischen Jugend verdorrt, und von Zeit zu Zeit gerät der ganze Garten in Unordnung.

Statt nun aber den gesamten Boden auf diesem Gebiet einmal gründlich umzugraben, haben ihn die Engländer jahrhundertelang mit Sense und Rechen lediglich immer wieder glattgestrichen. Das Dilemma wurde damit nicht gelöst.

Das ist eigenartig, da die Engländer ansonsten auch keiner Konfrontation aus dem Wege gehen. Normalerweise zögern sie nicht, sich in Situationen, in denen höchstes psychologisches Fingerspitzengefühl erforderlich ist, in die Arena des emotionalen Getümmels zu werfen und mit praktischem Sinn und einer Tasse Tee den Kampf aufzunehmen. Im Porzellanladen leisten sie als Apostel des guten Willens ganze Arbeit. Aber wenn es um Sex geht, trottet dieser Elefant mit hängendem Rüssel hilflos von dannen.

Aufgrund ihrer Neigung, allein schon die Existenz des Sexualtriebs zu ignorieren, waren die Engländer nie wirklich bereit, sich mit Sexualität in wissenschaftlicher

Forschung oder im ernsthaften Gespräch auseinanderzu-
setzen. Deshalb ist ihre Einstellung dazu immer noch mit
dem Aberglauben, den Mythen und Tabus weniger aufge-
klärter Epochen behaftet. Als Folge davon sprechen viele
Engländer über Sex in Begriffen von Über- und Unterord-
nung. Nur so kann es passieren, daß man das Eingehen
einer geschlechtlichen Beziehung eine »Eroberung«
nennt.

Wenn es um den Geschlechtsakt als solchen geht, sehen sich die Engländer stets als blutige Anfänger. Licht
aus, einer oben, eine unten, so läuft das Spiel. Was Sex
zwischen Mann und Frau anbelangt, so ging es dabei immer nur um Fortpflanzung. Und dies ist zum Teil heute
noch so.

Darüber hinaus darf man nicht vergessen, daß für die
Engländer selbst beim Sex Klassenkonventionen zu beachten sind. Guter englischer Tradition entsprechend
zeichnet sich beispielsweise ein Gentleman dadurch aus,
daß er sein eigenes Körpergewicht auf den Ellenbogen
abstützt. Und wie sehr man sich dabei auch persönlich
nahegekommen sein mag, er wird sich stets bei seiner
Gastgeberin dafür bedanken, vorgelassen worden zu
sein, und sie wird sich beim Abschied für sein Kommen
bedanken.

Ein überaus beliebter englischer Zeitvertreib ist jede
Art von Voyeurismus. Fasziniert verschlingen die Erländer
die einschlägigen Lektüren. Die Zeitungen sind voll
mit Bettgeschichten, und die Skandalberichte über die
Fehltritte Prominenter finden immer wieder das aller-
größte Interesse. Nichts, nicht einmal der eigene Geschlechtsakt, versetzt die Engländer so in Hochspan-

nung wie eine Reportage über einen Sadomasochisten, der zu den Stützen der Gesellschaft zählt und an einem Sonntagnachmittag in einem anrüchigen Viertel von London mit entblößten Körperteilen ertappt wurde.

Weniger aufreizend und gerade deswegen wohl doch eher dem englischen Geschmack entsprechend, sind harmlose sexuelle Zerstreuungen, wie sie auf anzüglichen Postkarten in den englischen Seebädern anzutreffen sind. Weil sie beim Thema Sex einfach nervös werden, sind die Engländer am glücklichsten, wenn es Anlaß gibt, darüber zu kichern. Selbst wenn man, davon inspiriert, glaubt, einen Abend lang einen draufmachen zu müssen – zu viel Bier oder dampfender Kakao taten schon immer ihre Wirkung als Anti-Aphrodisiakum.

Reichtum & Erfolg

Im Zweifel ziehen die Engländer stets das Alte dem Neuen vor und betrachten Verbesserungen des gesellschaftlichen Status ihrer Verwandten und Bekannten mit großer Skepsis.

»Altem« Geld wird der Vorzug gegenüber »neuem« Geld gegeben, und ein geerbtes Vermögen ist unvergleichlich viel besser als selbstverdienter Reichtum. Wer schnell zu viel Geld gekommen ist, wird herablassend behandelt, und wer leichtfertig über seine finanzielle Lage plaudert und dies gar mit dem Hinweis versieht, man befinde sich in einer »mehr als komfortablen« Situation, wird in maßgeblichen gesellschaftlichen Kreisen äußerst kühl behandelt.

Ausgelassene Konsumfreude und protzige Zurschau-stellung von Reichtum gelten als unfein. In ihrer unaus-rottbar puritanischen Art warnen die Engländer jeden Lotteriegewinner, daß Glück im Spiel selten etwas Gutes nach sich zieht und man sich »für alles Geld der Welt kei-nen Seelenfrieden kaufen kann«.

Ganz anders als ihre Cousins jenseits des Atlantiks hegen die Engländer gegenüber dem Erfolg ein ange-borenes Mißtrauen, und Geld wird mit Geringschätzung betrachtet. Diese Haltung unterstreicht man gerne mit einem mißverstandenen Bibelzitat, das wie eine Tat-sachenbehauptung in den Raum gestellt wird: »Geld ist die Wurzel allen Übels.« Gemeint ist damit immer das Geld der anderen.

Mitmenschen & Zeitgenossen

Die Familie

Außer in den Ferien verbringen die Engländer nicht viel Zeit mit ihren Familien. Wer seine enervierende Kindheit und Jugend erst einmal hinter sich gelassen hat, macht sich auf eigene Faust auf seinen Lebensweg, unbeeindruckt von den Bedenken seitens Eltern oder Geschwistern. Endlich sich selbst überlassen, frei und unbeschwert, widmen sich diese jungen Leute ganz dem englischsten aller Talente – mit niemandem zurechtzukommen –, gründen ihre eigene Kleinfamilie und schotten sich darin ab.

Kinder

Jeder, der einmal versucht hat, mitten im Winter in einem Pub in Dartmoor eine warme Mahlzeit für sein kleines Kind zu bekommen, weiß, welcher Zorn und welche Verzweiflung einen packt, wenn man des Schildes KEINE KINDER – KEINE HUNDE ansichtig wird.

Obwohl die beiden Plagegeister in diesem Fall gemeinsam genannt werden, wird es den wenigsten

Engländern einfallen, sie in einem Atemzug zu nennen, denn die meisten lieben zwar Hunde, aber nicht viele mögen Kinder.

Kinder machen einen nervös. Sie sind unberechenbar. Wo sollte man sie tätscheln? Vielleicht auf den Kopf: »Na, kleiner Mann, was willst du denn mal werden, wenn du groß bist?«

Das Unausgesprochene hinter dieser Frage ist deutlich. Eine englische Kindheit ist etwas, das man so schnell wie möglich hinter sich bringt. Was wirklich zählt, ist, ein englischer Erwachsener zu sein. Daher ist es kein Wunder, daß die englischen Kinder danach streben, so schnell wie möglich flügge zu werden.

Sosehr die Engländer von allem, was mit Sex zu tun hat, peinlich berührt sind – das ist nichts im Vergleich zu den Peinlichkeiten, die sich um die Konsequenzen sexueller Aktivität ranken. Das Thema Schwangerschaft gilt in gepflegter Konversation als tabu. Je eher eine Mutter nach einer Geburt wieder auf die Beine kommt, desto besser. Und trotz aller gutgemeinten Anstrengungen der Frauenbewegung gilt das Säugen immer noch als eine Körperfunktion, die sich, wie so manche andere, unter völligem Ausschluß der Öffentlichkeit zu vollziehen hat.

Nur wenn ein Baby in seinem Taufkleid wunderhübsch zurechtgemacht ist, werden Engländer, die nicht zur unmittelbaren Familie gehören, sich herablassen, seine Existenz zur Kenntnis zu nehmen. Dann werden sie sich darüber ergehen, wie sehr es seinem Vater oder seiner Mutter ähnelt. Daß es etwas ganz Eigenes sein könnte, kommt ihnen nicht in den Sinn.

Haustiere

Ein englischer Grundsatz besagt, daß ein Mensch, der gut zu Tieren ist, nicht ganz schlecht sein kann. Denn die Engländer sind ausgesprochen tierlieb, und das schließt alle Arten von Tieren ein. Die Engländer halten sich Tiere nicht, wie das bei anderen Völkern üblich ist, um vor allem Haus und Hof zu bewachen, aus wissenschaftlichem Interesse oder als Statussymbol, sondern damit diese ihnen Gesellschaft leisten.

Auch wenn die Engländer bisweilen Schwierigkeiten haben, sich miteinander zu unterhalten, mit ihren Tieren klappt die Verständigung hervorragend. Auch wenn es ihnen oftmals nicht gelingt, ihre eigenen Kinder liebevoll zu umarmen und zu streicheln, ihren Schoßhündchen fassen sie andauernd ans Kinn und flüstern ihnen zärtliche Koseworte ins Fellohr.

Das liegt natürlich daran, daß die bemitleidenswerten Kreaturen, anders als Menschen, keine Widerrede geben können. Wenn sie dies täten, würden die Engländer einiges zu hören bekommen und eine Menge über sich in Erfahrung bringen. So wie die Dinge nun einmal sind, wird davon ausgegangen, daß sie mit ihren Herrchen und Frauchen stets völlig übereinstimmen, und daher erfreuen sie sich der ungeteilten Zuneigung der Engländer.

Wer ein Haustier besitzt, verwandelt sein Heim in ein Heiligtum für seinen fellbewachsenen oder gefiederten Liebling. Die besten Sessel, die wärmsten Plätze, die ausgesuchtesten Bissen werden selbstverständlich den vierbeinigen (oder zweibeinigen) Hausgöttern überlassen.

Katzen und Hunden, Papageien und Meerschweinchen wird alles nachgesehen, was sie anrichten. Wenn sich

Kinder in demselben Haushalt derselben Vergehen
schuldig machten, dann wehe ihnen! Von ihren Besitzern
werden die lieben Tierchen zu keiner Missetat fähig gehalten. Wenn also ein Hund einen Menschen beißt, so ist
es immer der Mensch, der daran schuld ist, auch wenn
es sich nur um einen zufälligen Passanten handelt. In
der Nachbarschaft wird jeder der Rechtfertigung des
Hundebesitzers zustimmen: »Chip würde keiner Fliege
etwas zuleide tun!«

Die ältere Generation

Die Engländer haben mit ihren älteren Mitmenschen so
ungefähr dieselben Probleme, die sie mit ihren Kindern
haben. Als eine Randgruppe, mit der man nicht viel anzufangen weiß, werden sie von ihren Familien links liegen
gelassen und, sofern das Geld dafür reicht, in Senioren-
heime abgeschoben. Hin und wieder kommen die Verwandten dorthin zu Besuch, sehen nach, ob ihre alten
Leute gesund und gut aufgehoben und ob die Sicher-
heitsvorrichtungen in Ordnung sind.

Andere Völker finden diese Art des Umgangs rätsel-
haft. Für sie ist das Leben in einer Großfamilie, wo alle
an den Vorteilen des Zusammenseins der verschiedenen
Generationen teilhaben, die Norm. Für die Engländer gilt
das nicht. Wenn die Kinder in der Schule sind und die
älteren Menschen dort, wo ihnen nichts zustoßen kann,
können sie sich den wirklich wichtigen Dingen des
Lebens zuwenden, denen, so glauben sie, weder die Kinder noch die alten Menschen gewachsen sind.

Exzentriker

Auf den Rest der Welt wirkt das gesamte englische Volk wie eine Ansammlung von Exzentrikern. Für die Engländer selbst ist all das, was man mit Exzentrik gedanklich verbindet, insofern nützlich, als es ihnen erlaubt, mit dem Problem unsozialen oder unenglischen Verhaltens bei einzelnen von ihnen leichter fertig zu werden. Die Solidarität mit den eigenen Landsleuten gebietet, daß jeder Engländer, egal, ob er alle Tassen im Schrank hat oder nicht, grundsätzlich als guter Kerl anzusehen und mindestens genausoviel wert ist wie zehn Ausländer.

Innerhalb eines gewissen Rahmens erfreuen sich die Exzentriker daher des Wohlwollens, ja der Bewunderung der Engländer.

Exzentrik existiert aber nicht allein aus sich heraus. Gesellschaftlicher Rang und Geld spielen dabei auch eine große Rolle. Bei armen Menschen wird geistige Schwäche schnell als Unzurechnungsfähigkeit abgetan, während man sie den Reichen in der Form von Exzentrik großzügig zugesteht.

Dies ist immer eine Frage des Blickwinkels. Gewissen Marotten, wie etwa der von Lord Berner, der in einer motorisierten Pferdebox, die mit Schmetterlingen angefüllt war, durch die Gegend zu fahren pflegte und dabei auf einem Konzertflügel spielte, wird, sofern sie harmlos sind, sogar eine Art Bewunderung entgegengebracht. Immerhin handelte es sich um einen Lord.

Die Erbauer von architektonischen Abstrusitäten und unterirdischen Ballsälen werden ebenfalls als exzentrisch betrachtet, finden jedoch ungeteilten Beifall, vorausgesetzt, daß sie viel Geld für ihre bizarren Wun-

derwerke, über die man sich nur wundern kann, aus-
geben.

Von vielen Konventionen, die in England für korrektes
Benehmen gelten, wird für diese Exzentriker de facto
manche Ausnahme gemacht.

So gerne man sich über sie auch amüsiert, für die
Engländer stellen Exzentriker auch eine Art Bedrohung
dar, denn sie pfeifen auf alle Konventionen. Also ist es
schön und gut, ein paar von ihnen dabeizuhaben, aber
wirklich nur ein paar.

Immigranten

Die Engländer waren immer unter den ersten, wenn es
galt, den Verstoßenen aus weniger aufgeklärten Ländern
Zuflucht zu gewähren. Was sie aber nicht einsehen, ist,
daß jeder Immigrant innerhalb von Tagen, Wochen oder
gar Jahren mit denselben Rechten und Pflichten in die
Staatsgemeinschaft aufgenommen werden sollte wie
jeder andere Engländer auch. Derartige Erleichterungen
für die Einbürgerung wären doch nichts anderes als ein
Schlag ins Gesicht für die abertausendjährigen Bemü-
hungen, England und die Engländer zu dem zu machen,
was sie sind.

Im allgemeinen sind die Engländer jedoch ein toleran-
tes Volk, sie behandeln Minderheiten freundlich, wenn
auch ein wenig herablassend.

Wenn man irgendeine englische Stadt besucht,
kommt man nicht darum herum, die vielfältige Mischung
verschiedener Nationalitäten wahrzunehmen. Dies liegt

daran, daß die Engländer Fremden gegenüber bessere Gastgeber sind als die meisten anderen Völker. Sie sind daran gewöhnt, ausländische Staatsbürger um sich herum zu haben, und gewähren ihnen üblicherweise soviel Spielraum, wie diese benötigen, um ihr Leben erträglich zu gestalten.

In vieler Hinsicht werden Fremde ganz ähnlich behandelt wie englische Kinder: Das bedeutet, daß man sie durchaus gerne sehen möchte, aber nichts von ihnen hören will.

Sitten & Gebräuche

Die Engländer werden in puncto äußerlicher Höflichkeit im allgemeinen für formenstrenger gehalten, als sie es tatsächlich sind. Im alltäglichen Miteinander haben sie in viel geringerem Maße die Tendenz, die Formen zu wahren, als etwa die Deutschen oder die Franzosen.

Vielleicht liegt es an den ehrfurchtgebietenden Spektakeln der englischen Staatszeremonien, die die weitverbreitete Meinung entstehen ließ, selbst Ehegatten würden sich in England mit ihrem Titel oder zumindet mit ihrem Nachnamen anreden. In Wirklichkeit ist es gang und gäbe, daß sich Arbeitskollegen beim Vornamen anreden, und die amerikanische Sitte, dies auch am Telefon zu tun, noch bevor man sich persönlich begegnet ist, hat inzwischen ebenfalls um sich gegriffen.

Dank der nachhaltigen Missionierungsarbeit der Apostel der *political correctness* ist die Angewohnheit von Männern, den Frauen den Vortritt zu lassen, heutzutage etwas im Schwinden begriffen. Die Geschlechterkämpferinnen und Geschlechterkämpfer sehen in solchem Verhalten eher eine Art von Herablassung als eine Art von Höflichkeit. Trotzdem wird man es einem wahrscheinlich durchgehen lassen, wenn man für alle außer den glühendsten Feministinnen eine Tür aufhält oder seinen Platz im Bus freimacht. Aber es wird nicht mehr als absolutes Muß betrachtet, daß man von seinem Sitzplatz aufspringt, sobald eine Frau einen Raum betritt; diese Sitte war immer schon unabhängig von der Anzahl der vorhandenen Stühle.

Nicht berühren

So unkompliziert die Engländer in vieler Hinsicht im Umgang sind und in der Art, wie man sich anspricht, sobald sich physischer Kontakt anbahnt, verhalten sie sich äußerst reserviert.

Die Engländer sind kein berührungsfreudiges Volk. Wenn sie sich begrüßen, werden Männer beim allereresten Mal einen kurzen, kräftigen Händedruck austauschen, dies aber bei allen weiteren Zusammenkünften tunlichst vermeiden. Die obligatorische Frage *»How do you do?«* wird mit der obligatorischen Erwiderung *»How do you do?«* beantwortet; dies ist das Signal, daß das Ritual beendet ist, und spätestens zu diesem Zeitpunkt wird auch die Hand zurückgezogen. Jede Abweichung von dieser Prozedur kann alle möglichen Probleme aufwerfen und einen Verdacht auf Freimaurerei, wenn nicht gar auf Schlimmeres erregen. Frauen ist es gestattet, sich auf eine oder beide Wangen zu küssen. Wenn sie das tun, sollten sie dem *miss-kiss* den Vorzug geben; die Küssende deutet den Kuß nur an und bringt dabei einen dazu passenden Klangeffekt in der Nähe des Ohrs oder der Ohren der geküßten Person hervor.

Bei einer Begrüßung können Männer auch Frauen küssen, aber bloß auf die Wange. Der Versuch, beide Wangen zu küssen, ist sehr risikobehaftet, da die meisten Frauen nur mit dem einen rechnen und somit frontal erwischt werden, weil sie den Kopf nicht weit genug gedreht haben. Das Ergebnis ist ein Fauxpas von der schlimmsten Sorte – und, falls es sich um ein absichtliches Bubenstück handelte, eine labiale Vergewaltigung.

Den allermeisten Engländern würde es nicht im Traum einfallen, einen anderen Mann zu umarmen oder – völlig undenkbar – zu küssen. So etwas überlassen sie Fußballspielern und Ausländern.

Auf öffentlichen Straßen und Plätzen unternehmen die Engländer jede nur erdenkliche Anstrengung, mit anderen nicht in Berührung zu kommen, nicht einmal durch Zufall. Sollte sich dennoch aber einmal solch ein Unglück ereignen, wird eine Entschuldigung erwartet, aber sie darf niemals als Vorwand für eine weitergehende Unterhaltung dienen. In überfüllten öffentlichen Verkehrsmitteln wird körperlicher Kontakt mit anderen toleriert, weil er unvermeidbar ist, aber bei solchen Gelegenheiten sollte Augenkontakt strikt vermieden werden.

Kommt es aus freiem Willen beider Beteiligter zu Intimitäten zwischen Erwachsenen, so wird anerkannt, daß hierbei mit weitergehenden Berührungen zu rechnen ist. Aber diese vollziehen sich hinter verschlossenen Türen und üblicherweise im Dunkeln.

Gesten der Zuneigung werden jedenfalls in allen Arten von menschlichen Beziehungen auf ein Minimum reduziert.

Ps and Qs

Englische Kinder werden dauernd dazu angehalten, den allgemein gültigen Katechismus anständigen Benehmens zu lernen. Die erste Regel, die ihnen eingebleut wird, sobald sie irgend etwas begreifen können, lautet: »*Mind your Ps and Qs*«.

Ps and Qs sind die englische Kurzform für »Bitte« sagen und »Danke« sagen. Um Erlaubnis fragen, seine Dankbarkeit erweisen und – das Wichtigste von allem – ständig um Verzeihung bitten, sind die Grundformen, in denen sich zwischenmenschliche Beziehungen unter Engländern abspielen. Deshalb wiederholen die Engländer diese Wörter pausenlos, als ob sie es mit Schwerhörigen zu tun hätten.

Für den Ausländer ist es schwierig, von diesem kleinen, aber unumgänglichen Vokabular den richtigen Gebrauch zu machen. Für den Anfang ist es am besten, wenn man sich darüber im klaren ist, daß es für die geforderte Überhöflichkeit, übermäßige Dankbarkeit und die aus tiefstem Herzen kommende Entschuldigung einfach keine adäquaten sprachlichen Ausdrucksmöglichkeiten gibt. Daher wird sich der Engländer oder die Engländerin, auf deren Zehen man getreten ist, *»so sorry«* zeigen, vermutlich, weil sie nicht die Zuvorkommenheit besaßen, das malträtierte Fußglied rechtzeitig amputieren zu lassen. Anschließend werden sie sich *»so much«* bei einem bedanken, wenn man die Güte hatte, von dem Schuh wieder herunterzusteigen, und falls man dies nicht getan hat, werden sie einen mit einer solchen Unmenge von *Ps and Qs* daran erinnern, wie sie ein Angehöriger eines anderen Volkes während seines halben

Lebens nicht in den Mund nimmt. Das ist eben die englische Art.

Sollte einem der Vorrat an Dankbarkeits-, Entschul-
digungs- und anderen Ergebenheitsbezeugungen ausgehen, läuft man Gefahr, sehr rasch ins Lager von Menschen eingesperrt zu werden, die *not very nice* sind, und
daraus gibt es kaum ein Entrinnen.

Schlange stehen

Ausländer betrachten mit Erstaunen und Amüsement,
wie diszipliniert die Engländer Schlange stehen. Sie
selbst würden es auf keinen Fall so machen. Aber für die
Engländer ist Schlange stehen Teil ihres *way of life*.

Viele von ihnen erinnern sich noch daran, daß einer
der wenigen Vorteile des letzten Weltkrieges mit all seinen Rationierungen in einem Überfluß an Warteschlan-
gen bestand. Für alles gab es solche Schlangen. Die
Leute stellten sich hinten an und fragten den Vorder-
mann, wofür die Schlange denn eigentlich da sei.

Und darin liegt das wahre Geheimnis der englischen
Warteschlangenmanie beschlossen. Eine Warteschlange
ist die einzige Gelegenheit, bei der es nicht als unhöflich
gilt, einen Fremden anzusprechen, ohne ihm vorgestellt
worden zu sein.

Solch eine angenehme Sitte sollte sich, nach englischer Ansicht, auch bei allen anderen Völkern ganz
selbstverständlich zum Gebrauch empfehlen. Die Engländer können nicht verstehen, daß dies nicht der Fall
ist, und sie reagieren gar nicht freundlich, wenn fremde

Staatsangehörige nicht erkennen, daß man sich – was offensichtlich ist – hinten anzustellen hat (»Hier gibt's eine Schlange, verstehen Sie!«) oder wenn diese sich nicht einreihen und das Schlange-Spiel geduldig mitspielen.

Witz & Humor

Die Engländer erwecken auf den ersten Blick den Eindruck, ein tiefernstes Volk zu sein, was natürlich völlig zutreffend ist. Gerade vor diesem Hintergrund erhält jedoch der englische Sinn für Humor seine besondere Würze. Denn gerade das, was in Deutschland als sprichwörtlicher englischer Humor gilt, ist in den Augen der Engländer selbst gar kein Humor, sondern selbstverständlicher Bestandteil des *English way of life*.

Der englische Humor hat etwas von einem Irrlicht. Wie dieses läßt er sich nicht einfangen, um ihn zu beschreiben und zu analysieren. Und gerade dann, wenn man glaubt, ihn gepackt zu haben, merkt man, daß man wieder einmal düpiert worden ist. Ein Beispiel:

> Zwei Herren sitzen Zeitung lesend in einem Klub, als der eine bemerkt: »Hier steht, daß es in Devon jemanden gibt, der Seehunden auf einem Cello etwas vorspielt.«
>
> »Ach, tatsächlich«, entgegnet der andere.
>
> »So steht's hier«, sagt der erste. »Aber denen ist das natürlich völlig gleichgültig.«

Da die Engländer nie das sagen, was sie meinen, sondern oftmals das genaue Gegenteil, und da sie meist
Zurückhaltung üben und das Understatement pflegen,
basiert englischer Humor zu einem Gutteil darauf, gerade diese Nationaleigenschaften aufs Korn zu nehmen,
indem man sie übersteigert. Genauso verhält es sich mit
der englischen Abneigung, sich im Gespräch auf Kontro-
versen einzulassen. Im Witz mokiert man sich heftig über
diese Abneigung.

Taktgefühl und diplomatisches Verhalten werden in
solchen Ehren gehalten, daß es manchmal geradezu gro-
tesk wirkt, ja mitunter scheint es so, als würden die
Engländer diesen Tugenden all das opfern, was ihnen ansonsten lieb und teuer ist. In der berühmten Fernseh-
komödienserie *Yes, Minister* beruht der Witz darauf, daß
ein hochrangiger, aber dennoch untergeordneter Mini-
sterialbeamter allein dank seiner ausgefeilten sprachlichen Listen in der Lage ist, seinen ständig wechselnden
Vorgesetzten ein X für ein U vorzumachen und sie auch
noch davon zu überzeugen, daß beides schon immer ein
und dasselbe war.

Weitere Grundlagen des englischen Humors liegen im
Erkennen von Anspielungen und in der Fähigkeit der
Engländer, sich über sich selbst lustig zu machen:

Im Laufe einer Fernsehsendung über Sex wurde an
das Publikum die Frage gerichtet: »Wie viele der hier
im Saal Anwesenden haben mehr als dreimal pro Woche Sex?«
Ein paar Hände werden zögernd in die Höhe gereckt.
»Und wie viele haben einmal im Monat Sex?«

Fast sämtliche Arme schnellen hoch.

»Ist jemand hier, der noch seltener Sex hat?«

Ein einziger Mann winkt überraschend heftig und auf-
geregt. »Einmal im Jahr!« ruft er.

Das Publikum ist perplex, und der Moderator bemerkt
erstaunt: »Sie wirken aber gar nicht so, als ob Ihnen
das etwas ausmacht.«

»Nö«, sagt der Mann, »heute nacht passiert's ja.«

Rücksichtslos ätzende Satire, wie sie beispielsweise
dem deutschen Kabarett eigen ist, wird man in England
nicht finden. Die Engländer geben der gelinden Übertreibung, der klug gewählten Anspielung den Vorzug.

Das verschmitzte Lächeln, mit dem eine treffende
Replik oder ein wohlbemessenes Understatement quit-
tiert werden, ist ein Zug, der für die Engländer charakte-
ristisch ist. Sie schätzen vor allem Ironie und erwarten
dasselbe von anderen. In dieser Hinsicht werden sie so
oft enttäuscht, da Fremde häufig gar nicht mitbekom-
men, wenn eine Bemerkung als ironische Anspielung
gemeint war. Dies ist für die Engländer natürlich eine
Bestätigung dafür, was sie sich insgeheim immer schon
gedacht haben – daß Ausländer keinen Spaß verstehen.

Kulte & Rituale

Haus & ...

Es verdankt sich wohl vor allem dem scheußlichen Wetter auf den Britischen Inseln, daß die Engländer ihren Häusern und Gärten soviel Aufmerksamkeit widmen. Sie verschwenden ihre ganze Freizeit auf immer neue Reparaturen und Verschönerungen in Haus und Wohnung. Das Heim eines Engländers befindet sich niemals in einem Zustand, der der vollsten Zufriedenheit seines Besitzers Genüge tun könnte.

Wie die Biber werkeln sie unablässig drinnen und draußen herum, installieren elektrische Anlagen und Gerätschaften aller Art, bauen da eine Dusche ein, errichten dort ein Regal und verwandeln das Äußere eines völlig durchschnittlichen Doppelhauses in einem Vorort in einen neogotischen Alptraum mit Erkerchen und Türmchen, grob verputzten Wänden und eisenbeschlagenen Eingangstüren.

Nicht einmal das Auto ist vor der Do-it-yourself-Manie des Familienvaters sicher. Der auf Hochglanz polierte Wagen wird auf eine im Heimwerkermarkt erstandene Hebebühne gefahren, und dann wird stundenlang darunter herumgeschraubt.

Man könnte nun meinen, daß angesichts so vieler Eigenleistungen beim Reparieren, Installieren, Tapezieren, Dekorieren die englischen Fachhandwerker über kurz oder lang arbeitslos würden. Weit gefehlt! Früher oder später müssen diese Fachleute dann doch herbeigerufen werden, um den Schaden zu beseitigen, den der überenthusiastische Amateur angerichtet hat.

Den Bleistift hinters Ohr geklemmt, lehnen sie sich auf den Fersen zurück, schauen sich das Ganze schräg von der Seite an, pressen den Atem zwischen den Zähnen hervor und schütteln ungläubig den Kopf. »Natürlich haben Sie das selbst verpfuscht, nicht wahr?« Der Heimwerker zuckt bei dem Wort »verpfuscht« innerlich zusammen, aber er wagt nicht, etwas zu erwidern, sondern steckt lediglich seine Hände reumütig in die Hintertaschen seiner Jeans und bezahlt die saftige Rechnung. Dabei gilt die stillschweigende Vereinbarung, daß mit einem Teil des Rechnungsbetrages die Diskretion des Fachmannes erkauft wird. Denn der Heimwerker will sich den Einbau der neuen Dusche und der Alarmanlage oder die Renovierung des Wohnzimmers nach wie vor selbst zugute halten können.

Kein noch so schlimmes Desaster wird den Engländer von der Überzeugung abbringen, daß er einer Aufgabe nicht gewachsen sei. Jedes Vorhaben ist eine Herausforderung, und Herausforderungen hat man sich zu stellen.

... Garten

Draußen im Garten kennen die Engländer überhaupt keine Hemmungen mehr, und dabei gerät ihnen überraschenderweise auch alles bestens. Gartenpflege ist eine Art Nationalsport, und der »grüne Finger« ist eine stolz zur Schau getragene körperliche Deformierung.

Wenn die Engländer hier erst einmal richtig loslegen, passiert etwas höchst Sonderbares. Zeitweise verliert sich ihre angeborene, stets aufs Praktische gerichtete Befangenheit, und sie werden geradezu lyrisch.

Während bei anderen Völkern mal hierhin, mal dorthin eine Vase oder ein Blumentopf gestellt werden, um einen hübschen Farbklecks zu gewinnen oder eine paar frische Küchenkräuter zur Hand zu haben, schwelgen die Engländer in Landschaftsgestaltung und malen sich großartige begrünte Flächen aus, die bis zum Horizont mit exotischem Gesträuch bepflanzt sind.

Während sich die Franzosen mit ein paar Beeten überwiegend einheimischer Pflanzen zufriedengeben, besteht der englische Vorortgarten aus einer Zusammenballung internationaler Flora: Lilien aus Tibet, Glyzinien aus China, Gunnera aus Patagonien.

Gartencenter haben Hochkonjunktur. Zeitschriften und Ratgeberbücher über Gartenbau liegen überall in den englischen Wohnungen herum. Und wenn die Temperatur in den Zimmern wegen schlechter Heizungen unter den Gefrierpunkt fallen, überwintern die Setzlinge und die beschnittenen Exoten in der tropischen Wärme der Treibhäuser.

All dies findet zumeist auf kleinstem Raum statt, denn jeder winzige Vorgarten und jedes Blumenfenster weitet

sich in der Vorstellung der Engländer zu einem National-
park aus.

Eisenbahnreisende kommen in England nicht umhin,
die Vielzahl von gärtnerischen Kleinstparadiesen entlang
der Bahndämme im gesamten Land zu bemerken. Dabei
handelt es sich um nichts anderes als das, was in
Deutschland Schrebergarten genannt wird. Im Krieg
wurde Grund und Boden, der sich in städtischem Eigen-
tum befand, parzelliert und an Stadtbewohner verpach-
tet, damit sie sich selbst mit Gemüse versorgen konnten.
Auch ohne unmittelbare Kriegsgefahr wird an diesen
grünen Inselchen eifersüchtig festgehalten. Es gibt Engländer und Engländerinnen, die ein halbes Leben lang
darauf warten, bis einer dieser gesundheitsschädlichen
kleinen Flecken Land mit seinen wackeligen Holzhäus-
chen frei wird, denn dort können sie sich das ganze
Wochenende über wie Plantagenbesitzer fühlen.

Für die Engländer ist das erste Frühlingsgeräusch
nicht eigentlich der Ruf des Kuckucks, sondern das Echo
eines nicht wiederzugebenden Fluches des Hobbygärt-
ners, der sich vergebens abmüht, seinen Rasenmäher
zum Laufen zu bringen. Wenn dieser Urschrei ertönt ist,
gibt es kein Halten mehr. Und so geht es den ganzen
Sommer über weiter: Während die Menschen überall
sonst auf der Welt gemütlich plaudernd vor ihren Häusern sitzen, mühen sich die Engländer mit gärtnerischen
Herkulesarbeiten ab. Sie jäten monströse Unkraut-
wucherungen am Beetrand, bauen paläolithische Felsen-
szenerien auf, leiten Wasserläufe in urtümliche Brunnen-
anlagen, ziehen gigantische Kürbisse für das alljährliche
Dorffest und hektarweise Astern.

Wenn sie Lust auf etwas Abwechslung haben, besuchen sie jemand anderen in seinem Garten und machen auf der Rückfahrt im Gartencenter halt, wo sie einen weiteren Kofferraum voll mit Pflanzen, Gartengeräten, Teichbegrenzungen und Kompost mitnehmen.

Ob Regen, ob Sonnenschein – in England meist im Regen –, hegen und pflegen und stutzen und rechen sich die Engländer durch das Jahr und sonnen sich im Glanz ihrer Mühen.

Der Gartengnom

Was dem Deutschen der Gartenzwerg, ist dem Engländer der Gartengnom. Dieses ausgesprochen englische Phänomen bietet faszinierende Einblicke in den Nationalcharakter der einheimischen Bevölkerung.

Im englischen Vorortgarten ist die grobschlächtige Tonfigur mit ihrer kleinen Angelrute genauso eine Symbolfigur wie die klassische Statue in einem englischen Schloßpark. Nur erinnert sie nicht an eine bukolische Idylle in einer heidnischen Vergangenheit, sondern an die verloren geglaubte, kostbare Zeit vor dem Erwachsensein, die Art von Kindheit, von der die Engländer meinen, so müßte sie gewesen sein.

Meist gehören noch ein paar andere Kleinigkeiten dieser Art zur englischen Gartenausstattung: eine wirklich lächerlich unpraktische Sonnenuhr und vor allem ein an Enid Blyton erinnerndes Schild über dem Gartentor, auf dem solche Phantasienamen wie BIDE-A-WEE, DUN-ROAMIN, KENADA (das Heim von Kenneth und Ada) oder

OLCOTE (*Our Little Corner of This Earth* – Unsere kleine Ecke auf dieser Welt) stehen. Zusammen mit solch hölzerner Gartenlyrik dient der Gnom dazu, sich in einem umhegten Privatidyll eine ganz eigene Welt zu erschaffen, in die sich der Engländer als freundlicher Riese hineinprojiziert.

Eine Tasse Tee

Ausländer mögen darüber lästern, Marketing-Fachleute mögen versuchen, ein neues Image zu kreieren – die Engländer halten zäh an ihrem Lieblingsgetränk fest, das sie als eines der wenigen wirklich segensreichen Dinge schätzen, die über das weite Meer zu ihnen gedrungen sind; Balsam auf den Wunden der Architekten des Empire.

Während die übrige Menschheit in der Regel nach härteren Stoffen verlangt, um sich zu stärken, begnügt sich der englische Volkskörper mit Tee. Um dieses Getränk hat sich in England ein beinahe mystischer Kult hinsichtlich seiner gesundheitsfördernden und nervenberuhigenden Eigenschaften gebildet. Angesichts äußerer und innerer Krisen, als Remedur bei unliebsamen Überraschungen und bei jeder Art von gesellschaftlichem Zusammensein, empfiehlt es sich stets, zunächst einmal eine Tasse Tee zu trinken. Nach Tee sind die Engländer regelrecht süchtig.

Wenn man in England von Tee spricht, meint man im allgemeinen Schwarztee aus Indien oder Ceylon. Er wird mit Milch und Zucker serviert, und die Zeremonie, die mit seiner Zubereitung verbunden ist, ist außerordentlich umständlich. Als erstes muß die Teekanne angewärmt werden. Sobald der Tee aufgegossen ist, muß er einige Minuten stehenbleiben und »ziehen« – aber nicht zu lange, sonst wird er »zu stark«. Wenn es soweit ist, wird kalte Milch in die leeren Tassen gegossen und mit Tee und gegebenenfalls noch etwas Wasser aufgefüllt, aber normalerweise wird er so getrunken »wie er ist« – unverdünnt und stark.

In gehobenen Kreisen wird chinesischer Tee als Delikatesse geschätzt. Das Zubereitungsritual verläuft ähnlich, aber die Milch wird – wenn überhaupt – erst hinzugefügt, nachdem der Tee in die Tasse eingeschenkt wurde. Oftmals wird sie durch einen Zitronenschnitz ersetzt. Erst zuletzt kommt der Zucker dazu.

In gastronomischen Einrichtungen von größeren Ausmaßen, wie etwa Betriebskantinen und Schnellrestaurants, wird Tee in Behältern, die an überdimensionierte russische Samoware erinnern, oftmals fix und fertig mit Milch und Zucker zubereitet. Beim Genuß dieses Getränks sollte man eine gewisse Vorsicht walten lassen. Die Flüssigkeit, die aus derartigen Geräten englischer Bauart herauströpfelt, hat mitunter die Konsistenz von Maschinenöl – zumindest leichtere Plastiklöffel bleiben von selbst in der Tasse stehen.

Freizeit & Vergnügen

Englische Zeitschriften werben oft damit, daß sie ausführlich über Sport und Vergnügen berichten. Das ist erstaunlich, denn englischer Sport ist selten vergnüglich.

Der Grund, warum beides zusammengebracht wird, kann nur der sein, daß sowohl der Sport wie alle übrigen Freizeitaktivitäten unter Wettkampfbedingungen ausgeübt werden, diesem grundlegenden Element des *English way of life*. Auch Freizeitaktivitäten sind eine Herausforderung, und es ist Ehrensache, daß man sich darin ebenfalls vor allen anderen hervortut.

Der junge Aufsteiger im Management, der auf der Gemeindewiese sein ferngesteuertes Modellflugzeug hochfliegen läßt, wartet im stillen wahrscheinlich auf niemand anderen als auf einen weiteren ortsansässigen Managementaufsteiger, der seinen ferngesteuerten Modellhubschrauber mitbringt, damit sie herausfinden können, welcher von beiden mit seinem Spielzeug geschickter umgehen und es höher fliegen lassen kann. Der Familienvater, der am Sonntagmorgen auf einer Vorortstraße seinen Wagen auf Hochglanz bringt, nimmt mit jedem quietschenden Wisch seines Autoleders an einem Polierwettbewerb mit seinen Nachbarn teil.

Selbst wenn man eigentlich nur in aller Ruhe sein Glas Bier in einem Pub zu sich nehmen wollte, kann dies leicht in ein Wetttrinken ausarten, wenn ein geeigneter Rivale auftaucht.

Wenn schlechtes Wetter aufzieht, suchen die Engländer, anders als die Angehörigen anderer Völker, nicht notgedrungen allesamt Schutz im Innern ihrer Häuser. Denn stürmisches Regenwetter ist der willkommenste Feind überhaupt – ein ebenbürtiger und darüber hinaus durchaus vertrauter Gegner.

Von Kopf bis Fuß in wasserdichte Kleidung gehüllt, begeben sich die Engländer unter diesen Bedingungen strammen Schrittes auf ausgedehnte Wandertouren; praktischerweise haben sie dabei kleine Wanderkarten in Klarsichtfolie um den Hals baumeln. Den Hügel hinauf und hinunter ins Tal, so schreiten die Engländer auf den mit großem Eifer geschützten Wanderpfaden bei solchen Fußmärschen wacker aus. Mit typisch englischem Understatement werden diese allen Wettern trotzenden Gewalttouren als *rambles* bezeichnet – als ob man eine spanische *Rambla* entlangflanieren würde.

Die echte Herausforderung

Unbequeme Unternehmungen dieser Art sind eine Lieblingsbeschäftigung der Engländer. Im Sommer legen sie unter Umständen Hunderte von Kilometern zurück, um in den Lake District zu fahren, wo man mit beinahe hundertprozentiger Sicherheit mit schlechtem Wetter rechnen kann. Dort stillen sie dann ihr Bedürfnis nach dem

Schlimmsten, was Mutter Natur dem Menschen antun kann.

Dieser Kampf mit den Urelementen ist so beliebt, daß unternehmerisch denkende Personen regelrechte Programme und Kurse in körperlichem Unbehagen entwickelt haben, die sie in abgelegenen Gegenden der Britischen Inseln anbieten; und es gibt nicht wenige englische Landsleute, die saftige Teilnehmergebühren bezahlen, um sicherzugehen, daß sie einer echten Herausforderung ausgesetzt werden.

Diese Kurse, die unter so romantisch klingenden Bezeichnungen wie »Survival-Training« firmieren, werden wegen ihrer angeblich charakterstärkenden Eigenschaften gerne wahrgenommen. Dabei kann man seine Oberlippe garantiert soweit trainieren, daß sie nicht zittert.

Englische Großunternehmen scheuen jedenfalls keine Kosten, wenn es darum geht, ihren leitenden Angestellten immer wieder die Teilnahme an solchen Pfadfinderspielen zu ermöglichen. Man geht dabei von der Annahme aus, daß Männer oder Frauen, die unter widrigen äußeren Umständen zu glänzen verstehen, sich auch im streßbetonten Kampf des Geschäftslebens hervorragend zu schlagen verstehen. In diesen Firmen ist noch niemand auf den Gedanken gekommen, alle Manager hinauszuwerfen und statt dessen diese Survival-Unternehmer und Kursleiter einzustellen.

Wie immer derartige Exzesse gerechtfertigt werden, fest steht, daß die Engländer physische Herausforderungen lieben und jeden, der es sich bequem machen will, als verweichlichten Sybariten abtun. Selbst in einer vergleichsweise komfortablen Lage, auf einer weichen Luft-

matratze an einem mittelmeerischen Strand, werden sie
ihre weiße Hautoberfläche den ganzen Tag über gnaden-
los der erbarmungslosen Sonne aussetzen, bis sie am
Abend mit einem herrlichen Sonnenbrand ins Hotel
heimkehren.

Sport

Die Engländer üben hingebungsvoll alle möglichen
Sportarten aus. Den Jungen und Mädchen wird von Kin-
desbeinen an beigebracht, diese Dinge ernst zu nehmen.
Auch heute noch werden die Kleinen in den Schulen im
ganzen Land ins Freie getrieben *to play the game*! Das
heißt zweierlei: Jeder hat sich am Spiel zu beteiligen,
und jeder hat sich an die Regeln zu halten. Drückeber-
gerei und Regelverstoß werden von Lehrern und älteren
Schülern, die immer dabei sind, unausweichlich geahn-
det.

Ob es sich um Fußball, Rugby, Hockey oder irgendein
anderes Mannschaftsspiel handelt – der Engländer und
die Engländerin beginnen damit schon in jungen Jahren,
bleiben immer dabei, überwinden jede Art von Verlet-
zung, bis sie wirklich nicht mehr können und ihre Sport-
schuhe an den Nagel hängen und den anderen zuschauen müssen.

Letzteres tun sie mit grenzenloser Begeisterung und
besonders stimmgewaltig von Tribünen oder Spiel-
feldrändern aus, oftmals bei Temperaturen unter dem
Gefrierpunkt und bei Sturmstärke zehn und natürlich
auch angesichts unmittelbar bevorstehender Regen-

güsse. Nichts kann ihrem Eifer Einhalt gebieten. Selbst bei Nacht geht das Spiel weiter – im gleißenden Flutlicht der Stadien.

Cricket

Cricket ist für die Engländer mehr als ein Spiel. Es ist ein Symbol – eine Zweiundzwanzig-Mann-Personifikation aller essentiell englischen Werte und Weltanschauungen. Wer es ignoriert, tut dies auf eigene Gefahr.

Cricket ist *die* nationale Sommerfreizeitbeschäftigung des englischen Volkes. Wer in dieser Zeit England besucht, müßte mit Blindheit geschlagen sein, wenn er nicht wenigstens ein *Cricket*match an einem Wochenende mitbekommt. Und selbst die Blinden könnten nicht umhin mitzubekommen, was über die internationalen *Cricket*turniere an jeder Ecke aus den Radios plärrt. Man kommt einfach nicht dran vorbei. Auf jeder Gemeindewiese im Zentrum eines Dorfes und vor jedem Bildschirm stehen weißgekleidete Männer in Gruppen herum und warten darauf, daß etwas passiert.

Die Engländer haben das *Cricket*spiel vor siebenhundertfünfzig Jahren erfunden und haben eine äußerst besitzergreifende Einstellung dazu. Die Regeln, nach denen es gespielt wird, zählen zu den großen Mysterien des Lebens und werden unter den Eingeweihten nur in einer Art Geheimsprache weitergegeben. In ihrer imperialen Vergangenheit haben die Engländer dieses Spiel in die Welt exportiert, und sie sind immer die Gewinner gewesen. Im Laufe der Zeit sind andere Nationalmannschaften darin jedoch immer besser geworden, so daß die Engländer inzwischen überall, wo sie hingehen, gute Chancen haben, geschlagen zu werden.

Jedesmal, wenn das passiert, sind die Engländer sehr erregt. Jedermann, dessen sie habhaft werden können, wird mit Anschuldigungen überschüttet: daß der Ball manipuliert wurde, weil seine Oberfläche aufgerauht war, daß die Spieler sich die Köpfe rasiert haben, um den Luftwiderstand beim Laufen zu reduzieren, daß der Schlagmann durch unverschämtes Gebrüll abgelenkt wurde, daß falsche Trikots getragen wurden, daß für ein ganztägiges Spiel zu schnell gespielt wurde – in jeder Hinsicht beklagen sie sich, daß all dies »nichts mit *Cricket* zu tun habe«.

Tiersport

Die Engländer haben eine dermaßen glühende Vorliebe für Pferde und Hunde, daß sie diese Tiere sogar als Partner bei sportlichen Aktivitäten einbeziehen. Jahrhundertelang haben sich diese beiden Tierarten als zuverlässige und bewundernswerte Helfer bei der Ausrottung von Füchsen und speziell für diese Zwecke gezüchteten Wildvögeln bewährt.

Obwohl sie stets als typisch englische Freizeitaktivitäten angesehen werden, war diese Art von Jagd- oder »Blut«-Sport immer nur eine Domäne der reichen Oberschicht und kein Vergnügen für die Massen. Aber es gibt eine Tiersportart, an der jedermann mit großer Freude teilhat, und das sind Pferderennen. Wann immer und wo immer ein Galopprennen stattfindet, kommen alle Schichten der englischen Gesellschaft zusammen und vereinigen sich in der gemeinsamen Begeisterung für diese unnachahmliche Kombination: Pferde, Aufenthalt im Freien und körperliche Anstrengung.

Jahresurlaub

Einmal im Jahr machen die englischen Familien einen längeren Urlaub. Bis zur Erfindung des Massenflugtourismus verbrachte man diese Ferien fast immer in einem der zahlreichen englischen Seebäder.

Im Juli und August schlängelten sich die Austins, Rovers und Fords in langen Konvois über die gewundenen Straßen der südenglischen Hügellandschaft in die Küstenstädte. Dort wurden in den Läden an den Uferpromenaden Eimerchen, Schäufelchen, Lutscher, Zuckerwatte, Karameläpfel, getrocknete Seesterne, anzügliche Postkarten, *fish and chips* und grellbunte Leinwände als Windschutz verkauft.

Wenn sie ihre kleinen Camps am Strand aufgeschlagen hatten, bestand das Hauptvergnügen dieser englischen Familien anscheinend darin, sich an wegschmelzender Eiscreme und leckenden Thermosflaschen zu erfreuen – und überall geriet Sand hinein.

Man konnte stets mit an Sicherheit grenzender Wahrscheinlichkeit davon ausgehen, daß die Hälfte des Urlaubs verregnet war. Aber dafür gab es ja noch die vergnüglichen Attraktionen auf den Piers, den ins Meer hinausgebauten Promenadebrücken. Dort konnte dieses

Volk von Seefahrern das Gefühl genießen, wie es ist, wenn man sich über den Wellen befindet, ohne seekrank zu werden, oder, was noch schlimmer wäre, irgendwelchen Ausländern zu begegnen.

Heutzutage beginnt eine englische Urlaubsreise am Flughafen von Gatwick, Heathrow, Luton, Stansted, Manchester oder Birmingham, von wo aus man über die südenglische Hügellandschaft mit ihren gewundenen Straßen fliegt, weit weg nach Spanien, Griechenland, Zypern, Florida oder sonstwohin, wo es ebenfalls attraktive Promenierarkaden gibt sowie anzügliche Postkarten, die man nach Hause schicken kann, sowie den vertrauten Geruch von gebratenen Zwiebeln und *fish and chips*.

Hier spielt sich da Leben genauso ab wie in Bognor Regis, Blackpool oder Brighton. Man bleibt unter sich, nimmt von der Existenz der einheimischen Bevölkerung keine Notiz, steckt sein Revier am Strand ab und verbringt den ganzen Tag damit, in der Sonne herumzuliegen. Nachts kann man dann in die Diskotheken, die umsichtigerweise von dem gastgebenden Volk aufgestellt wurden, trinken, tanzen und sich übergeben.

Wenn der Urlaub vorbei ist, kehren die Engländer mit verbrannten Nasen, Durchfall und Alkoholvergiftung nach Hause zurück, aber ansonsten sind sie wieder fit für jegliche Herausforderung, der sie sich im Leben zu stellen haben.

Essen & Trinken

Es gab einmal eine Zeit, da haben die Engländer das Essen eher als Nahrungsaufnahme betrachtet denn als etwas, was man um seiner selbst willen genießen kann. Demzufolge haben sie sich nie besonders um Kochkunst bemüht, bis sie sich eines Tages bewußt wurden, wie unsäglich grauenhaft ihr Essen schmeckt.

Natürlich ist nicht alles, was aus englischen Küchen kommt, geröstete Holzkohle und weichgekochter Pflasterstein. Die übrige Welt erkennt durchaus die Köstlichkeit eines ausgiebigen *English breakfast* an (ein Frühstück, zu dem Schinkenspeck, Eier, Grilltomaten, Pilze, Kartoffeln, Bücklinge und so weiter gereicht werden). Französische Meisterköche beglückwünschen die Engländer stillschweigend zu ihrem *rosbif*, das es in der ganzen Welt gibt. Allseits höchster Wertschätzung erfreuen sich außerdem die englischen *puddings* – gedämpfte Marmeladekuchen und Apfelstreusel. Mit den Landessitten Unvertraute sollten bei *Yorkshire*- und *black puddings* Vorsicht walten lassen. Keins von beiden ist das, was es zu sein scheint. Bei ersterem handelt es sich um einen pikanten Eierkuchenteig, der mit Rindernierenfett in der Pfanne gebacken und mit Roastbeef gegessen wird, und bei letzterem um eine berüchtigte Blutwurst, die man zum Frühstück zu sich nimmt.

Aber im großen und ganzen ist England, kulinarisch gesehen, ein Paria. Die Auswirkungen der puritanischen Geringschätzung raffiniert zubereiteter Mahlzeiten ist nach wie vor spürbar. »Gute einfache Kost« und »Zubereitung ohne großen Aufwand« werden in vielen Küchen immer noch in großen Ehren gehalten und mit einer quasireligiösen Aura umgeben. Der bittere Beigeschmack ist nur allzu deutlich: Aufwendige und wohlschmeckende Speisen können vom moralischen Standpunkt aus nicht gebilligt werden.

Trotz alledem finden kontinentaleuropäische Eßgewohnheiten auch auf der Insel eine wachsende Anhängerschaft, vor allem, wenn man auswärts essen geht. Die Zahl der Restaurants ist enorm gestiegen, und im selben Maße, wie das Interesse an nicht fremdländischer Kochkunst wuchs, hat auch die einschlägige Auswahl zugenommen. Bisher waren in jeder Hinsicht die Restaurants mit französischer und italienischer Küche führend, aber deren Dominanz wird mittlerweile von thailändisch, chinesisch, indisch, mexikanisch, spanisch, russisch oder amerikanisch geprägten Lokalen bedroht.

Es gibt sogar Restaurants, die sich auf englische Küche spezialisieren. Ein sehr erfolgreiches Beispiel dafür in London trägt den Namen SCHOOL DINNERS. Dort können gestreßte und ausgelaugte Geschäftsleute Köstlichkeiten aus der Schulküche wie wäßrigen Reispudding und matschige Fleischpampe genießen, die von besonders gutgewachsenen jungen Kellnerinnen in Schuluniform serviert werden.

Getränke

Wer zu spät kommt, weil er sich immer erst ein paar Schlucke genehmigt, den bestraft das Leben. Diesem Spott sind die Engländer oft ausgesetzt. Aber wenn es um das Abschmecken der einschlägigen flüssigen Substanzen geht, brauchen sie sich keine Vorwürfe gefallen zu lassen. Darin sind sie unschlagbar gut.

Auch wenn die englische Küche niemals in den Rang von Drei-Sterne-Genüssen erhoben wurde, haben Generationen von Engländern ihre »einfache Kost« stets brav heruntergeschluckt und sich dafür an den besten Weinen der Welt schadlos gehalten, die in erstaunlicher, ja verwirrender Vielfalt auf den Tisch kommen.

Aus Frankreich wurde immer schon das Beste vom Besten in ganzen Schiffsladungen über den Ärmelkanal gebracht, damit sich englische Gaumen daran laben konnten. Und jahrhundertelang wurde der Löwenanteil der portugiesischen Portwein- und der spanischen Sherryproduktion nach England exportiert, wo ihnen gegenüber den bläßlichen landeseigenen Nachahmungen stets der Vorzug gegeben wurde.

Unter den heimischen Getränken, die sich einer größeren Beliebtheit erfreuen, wurde das englische *ale* inzwischen teilweise von helleren und leichteren Biersorten vom europäischen Kontinent und aus Amerika verdrängt. Lange Zeit zählte die Kunst des Bierbrauens zu den Handwerksarten, die den Stolz der englischen Nation ausmachten, und auch heute noch gibt es eine nennenswerte Zahl von Lokalbrauereien, die überall im Land ihr eigenes Bier mit Erfolg in den Pubs ihrer Umgebung verkaufen.

Als nächste auf der Liste von alkoholischen Spezialitäten, mit denen England die ganze Welt beglückt hat, steht der Londoner Gin. In jeder Bar auf der ganzen Welt wird Gin zusammen mit *Tonic water* getrunken, und darüber hinaus dient es als ideale Grundlage für Tausende von Cocktails. Whisky ist selbstverständlich kein englisches Getränk, sondern schottischer Herkunft, dennoch haben die Engländer dieses Malzgetränk völlig für sich vereinnahmt und behalten die allerbesten *Malt*-Sorten eifersüchtig für sich. Auf diese Weise können sie sicherstellen, daß sie sich immer ein paar Schlucke genehmigen können, ohne vom Leben dafür bestraft zu werden.

Was wird wo verkauft

Bis vor gar nicht allzu langer Zeit haben die Engländer die Dinge ihres täglichen Bedarfs beim Gemüsehändler, Metzger, Bäcker und so weiter um die Ecke erstanden. In den letzten Jahren jedoch hat eine zunehmende Zahl dieser kleinen Läden vor der Übermacht der Märkte auf der grünen Wiese kapitulieren müssen. Die früher treuen Kunden der kleinen Händler stapeln heutzutage alles, was ihr Herz begehrt, nach dem beglückenden Beutezug durch die Riesenhangars in den Kofferraum ihrer Autos.

Die einzigen Läden, die von den Hypermärkten noch nicht plattgewalzt wurden, sind die Eckläden, die in manchen Gegenden und Stadtvierteln unter dem Namen *Patelleries* bekannt sind, da viele von ihnen sich im Besitz von indischen Familien befinden, deren häufigster

Familienname Patel ist. Bei diesen Eckläden handelt es sich meist um eine Art Minisupermarkt, wo so gut wie alles verkauft wird, vom Teesieb bis zum Toilettenpapier und von der Banane übers Backfett bis zum Brathähnchen. Viele von diesen Läden sind jeden Tag durchgehend geöffnet und die halbe Nacht dazu.

In dieser ökonomischen Kulturrevolution scheint es nur noch eine Regel zu geben: Alles, was man zum Leben braucht, bekommt man sowohl in winzigen als auch in riesigen Supermärkten, und in den mittelgroßen Läden bekommt man nichts mehr.

Gesundheit & Körperpflege

Während sich die Franzosen endlos mit ihren Leberproblemen herumschlagen, die Deutschen andauernd von Kreislaufstörungen heimgesucht werden und es die Spanier stets mit dem Blut haben, können die Engländer mit derartigen Nationalkrankheiten überhaupt nichts anfangen. Ihre ganze Aufmerksamkeit gilt der Verdauung, und die größte Faszination zieht deren Endprodukt, der Stuhlgang, auf sich.

Von frühester Kindheit an wird den Engländern beigebracht, der Regelmäßigkeit der Darmbewegungen und der Konsistenz der Ausscheidungen größte Beachtung zu schenken. Hat der Tag nicht mit einer in jeder Hinsicht befriedigenden Sitzung im Wasserzimmer begonnen, hat man ihn auf dem falschen Fuß erwischt. Bei einem englischen Kleinkind, das seine morgendliche Pflicht nicht zur vollkommenen Zufriedenheit erfüllt – was von mindestens einem Elternteil sorgfältig überprüft wird –, wird für den Rest des Tages automatisch mit ungebärdigem, launischem Verhalten gerechnet. Solche frühkindlichen Prägungen schüttelt man sein ganzen Leben lang nicht mehr ab.

Bei den Nachbarvölkern der Engländer auf dem Kontinent ist es üblich, den Tag mit einem Frühstück zu beginnen, das aus einem Stück Gebäck oder Brötchen mit Marmelade besteht. Die Engländer hingegen knuspern am Morgen ballaststoffreiche Frühstücksflocken, am liebsten diejenigen Sorten, deren Qualitätsmerkmale »für inneres Wohlbefinden« und »leicht verdaulich« auch auf den Verpackungen werblich groß herausgestellt werden.

Korrektive und Laxative für allfällige Verdauungsstörungen stapeln sich in den englischen Badezimmerschränkchen, wobei sich einige seit Generationen bewährte Pharmazeutika ungebrochener Beliebtheit erfreuen. *Carter's Little Liver Pills* versprechen »Abhilfe bei Völlegefühl und Verstopfung«, *Califig*-Feigensirup empfiehlt sich als durchschlagendes Hausmittel für die ganze Familie. Beide Erzeugnisse sind in ihrer Wirkung milder und nicht so unangenehm wie das als gründliche Remedur nach wie vor unübertroffene, wenn auch etwas rücksichtslose Rizinusöl – falls gar nichts mehr geht.

Sollte es sich hinwiederum als notwendig erweisen, eine gewisse Überdosierung der eben erwähnten Medikamentierungen in den Griff zu bekommen – die Engländer nennen diese körperliche Erscheinung *looseness*: Lockerheit des Leibes –, so steht natürlich auch hierfür ein bewährter Markenartikel in der Hausapotheke zur Verfügung. Die ursprüngliche Herkunft von *J. Collins Browne's Chlorodyne* läßt sich heute nicht mehr zweifelsfrei feststellen, aber ebenso klar ist, daß die Patienten des guten Doktors viel in der weiten Welt herumgekommen sind. Eines der hymnischen Zitate dankbarer Benutzer auf dem Beipackzettel dieser kleinen Fläschchen lautet: »Ich habe Chlorodyne sogar auf dem Montblanc eingenommen, und es hat sofort geholfen.«

Solange sich die Engländern auf vertrautem Heimatboden bewegen, bleibt das delikate Verdauungssystem in der Regel einigermaßen intakt. Es erweist sich jedoch als höchst anfällig, sobald die englischen Küsten verlassen oder die Landesgrenzen überflogen werden. Englische Reisende werden aufgrund der nicht insularem Standard entsprechenden Qualitäten ausländischer Brunnen und exotischer Nahrung fast immer von Verdauungskrisen geschüttelt. Von »Montezumas Rache« über diese spezielle Variante des »Fluchs der Pharaonen« bis hin zum »Shanghai-Expreß« werden sie in jedem Winkel der Erde von einschlägigem Unwohlsein befallen.

Nicht wenige Engländer oszillieren ihr Leben lang zwischen der Einnahme von Laxativen oder bindenden Substanzen hin und her in der Hoffnung, irgendwann einmal wieder jenen paradiesisch anmutenden Zustand aus der Kinderzeit erlangen zu können, der Erwachsene angesichts der ersten Hervorbringungen des Tages zu beifälligem Nicken veranlaßte. Die meisten werden dieses fäkale Nirwana allerdings nie erreichen.

Keinen einzigen von diesen solchermaßen Inkommodierten wird man dazu bringen können, das Einführen von Zäpfchen vor Ort auch nur in Erwägung zu ziehen – eine Heilmethode, die sich auf dem europäischen Kontinent größter Beliebtheit erfreut. Während die Franzosen diese Darreichungsform von Medizin umstandslos selbst bei Kopfschmerzen anwenden, werden die Engländer ihren Verdauungsapparat immer nur mit Pillen, Säften und Trockenpflaumen sanieren wollen.

Wenn die Engländer hingegen ernsthaft krank sind, so zeigen sie sich von ihrer allerstoischsten Seite. Heulen und Zähneknirschen, wie es in ausländischen Hospitälern an der Tagesordnung ist, wird man hierzulande nicht zu hören bekommen. Diesem Gegner wird stur die Stirn geboten. Die letzten Worte von Königin Victoria auf dem Sterbebett lauteten bekanntlich: »Ich fühle mich ein bißchen besser...«

Körperpflege

Wenn es um die persönliche körperliche Hygiene geht, steigen die Engländer seit jeher lieber in die Badewanne, als sich unter die Dusche zu stellen, auch wenn diese neumodische Sitte sich zunehmender Beliebtheit erfreut.

Zum Entsetzen der übrigen Menschheit suhlt sich der Engländer in der Brühe seines eigenen Drecks, die mit warmem Wasser verdünnt wird. Immerhin liegt der Seifenverbrauch in England höher als in jeder anderen Nation, was sich die Engländer selbst hoch anrechnen. Denn, wie jedermann weiß, besprühen sich andere Völker, vor allem die Franzosen, einfach mit noch mehr Parfüm, wenn sie zu riechen anfangen.

Feiern & Feste

Die Engländer einfach als nostalgisch veranlagtes Volk zu bezeichnen, wäre zu kurz gegriffen. Sie sind vergangenheitssüchtig; althergebrachte Sitten und Gebräuche, festliche Rituale gehen ihnen über alles. Es scheint keine Rolle zu spielen, wie der eine oder andere Brauch entstanden ist oder warum er heute noch gepflegt wird. Daß etwas Tradition hat, genügt.

In der übrigen Welt wird dieser englische Charakterzug durchaus akzeptiert, und seine äußeren Erscheinungsformen werden mit Interesse und Beifall zur Kenntnis genommen. Jedes Jahr fliegen Abertausende nach London, um dem Tschingderassa beim *Changing of the Guard* (die Wachablösung vor dem Buckingham Palace) oder der Fahrt der Königin in ihrer Märchenkutsche zur Parlamentseröffnung beizuwohnen.

Für die Engländer ist Tradition gleich Kontinuität: Was früher gut war, muß unter allen Umständen heute erst recht gut sein.

Familienzusammenkünfte

Obwohl die Engländer das am wenigsten familienorien-
tierte Volk der Erde sind, würden sie nicht im Traum
daran denken, Weihnachten woanders als in jenem Vi-
pernnest zu verbringen, das sie bei dieser Gelegenheit
den »Schoß der Familie« nennen. Diese Jahresendfeier-
lichkeit löst sich so gut wie immer in Tränen auf, die
nicht Tränen der Rührung sind, und in vielen Familien
dauert es gut und gerne sechs Monate, bis man über all
das wieder hinweggekommen ist.

Aber die Tradition ist ehernes Gesetz, und sobald es
September geworden ist, beginnen in den englischen Familien die Planungen für die nächste Familienweihnacht,
kaum daß die Wunden vom letzten Mal vernarbt sind.

Abgesehen von Weihnachten gehen sich die einzelnen
Familienmitglieder ansonsten das Jahr über mit großer
Inbrunst aus dem Weg, ausgenommen natürlich bei der
einmaligen – und dann auch wieder obligatorischen –
Gelegenheit einer Hochzeit, Taufe oder Beerdigung. Von
diesen dreien sind Taufen und Beerdigungen am belieb-
testen, weil am kürzesten. Hochzeitsfeierlichkeiten sind
von einer offenen Feldschlacht nur dadurch zu unter-
scheiden, daß die Teilnehmer andere Uniformen tragen.

Die Planungen für diese alptraumhafte Festlichkeit beginnen sehr früh, und genauso früh setzen die Streiteren
ein. Schon Monate vor dem eigentlichen Ereignis,
während des großen Tages selbst und sogar noch danach kämpfen die Engländer erbittert um jedes kleine
Detail, obwohl die einschlägigen Etiketteratgeber ihr Be-
stes tun, um auszudeuten, wer für die Organisation und
die Bezahlung des Brautkleides, der Blumen, der Kirche,

des Chores, des Organisten, der Autos, des Empfangs, des Essens, des Fotografen und der Krankenwagen verantwortlich ist.

Überlebende solcher Fehden wundert es daher nicht, wenn sie in Zeitungsberichten nachlesen können, daß der eine oder andere Brautvater die Hilfe von Anwälten oder gar Gerichten gegen die Familie seines Schwiegersohns mobilisiert (weil streitig ist, wer was bezahlen soll), noch während sich das glückliche Paar auf der Hochzeitsreise befindet.

Es muß als ein Triumph englischer Hoffnung und Zuversicht über englische Lebenserfahrung angesehen werden, daß derartige Zusammenkünfte überhaupt noch stattfinden.

Für Königin und Vaterland

Kämpfen ist eines von den Dingen, die die Engländer am besten können. Über Jahrhunderte hinweg haben sie beinahe gegen jedes Volk auf dieser Erde Krieg geführt, gegen jedes zu seiner Zeit. Es wundert daher nicht, daß sie darin eine gewisse Übung und gute Erfolge erzielt haben.

Niemand kann den Engländern einen Mangel an Streitlust vorwerfen. Sie liegt ihnen im Blut, und ihre Zurschaustellung in ritualisierter Form gilt sogar als wünschenswert und wird mit Beifall bedacht.

Selbst hundert Jahre nachdem alle Armeen dieser Welt sich in feldgraue und technisierte Kampfmaschinen verwandelt haben, unterhalten die Engländer noch immer einige größere kasernierte Truppeneinheiten, deren Mitglieder sich zu einem großen Teil aus aristokratischen Familien rekrutieren. Zu den soldatischen Pflichten dieser Männer gehört es, sich von Zeit zu Zeit in historischer Kostümierung herauszuputzen und mit grimmigem Gesichtsausdruck durch die Londoner Straßen zu marschieren.

Einmal im Jahr nehmen alle diese Männer an einer großen Parade teil, wobei sie in geschlossener Formation und mit unbewegter Miene vor dem regierenden Monarchen eine Art militärisches Ballett aufführen. Dazu wird lautstarke Blasmusik überwiegend deutschen Ursprungs gespielt.

Bricht tatsächlich ein Krieg aus, sind die Engländer außerordentlich zäh, sofern sie erst einmal in die Gänge gekommen sind. Bilder, die zeigen, wie London sich unter dem deutschen »Blitz« behauptet hat, verstärken die Wahrnehmung der eigenen Unbeugsamkeit. Ein Mangel an Soldaten sowie an geeigneter Ausrüstung muß im Ernstfall kein Handicap sein. Soviel ist gewiß, man denke an Dünkirchen.

Die Engländer benötigen keine formelle Kriegserklärung, um in Habachtstellung zu gehen. Ihre sozusagen angeborene Kampfbereitschaft brodelt ständig unter der Oberfläche. Die Mission, die mit Expeditionsteams wie den von Sir Walter Raleigh und Francis Drake angeführten begonnen hat, wird heutzutage von den Fans der englischen Fußballmannschaften fortgeführt. Man hat den Eindruck, daß sie ihrem – ziemlich schlichten – Grundbedürfnis, physische Überlegenheit zu demonstrieren, nicht nur gegenüber den Fans der jeweils gegnerischen Mannschaft Ausdruck verleihen müssen, sondern auch gegenüber allen Unbeteiligten.

Und trotz all seiner kriegerischen Tradition hat England als das einzige unter den größeren europäischen Ländern die Wehrpflicht abgeschafft und damit all die schönen Möglichkeiten, die sich bieten würden, um Angriffswut in organisierte Bahnen zu lenken.

Religion

Die Engländer sind kein tief religiöses Volk. Bereits vor vielen hundert Jahren sind die Engländer zu dem Schluß gekommen, daß sie jedenfalls nicht damit gemeint sein können, wenn im römischen Katholizismus Demut und Armut gepriesen werden. Daher haben sich die Engländer eine eigene Kirche zurechtgezimmert: die *Church of England*.

In ihr ist die Teilnahme an Gottesdiensten nicht vorgeschrieben, und man kann nicht behaupten, daß dies eine weitverbreitete Sitte wäre. Andererseits geht man wie selbstverständlich davon aus, daß jeder Engländer Mitglied der Kirche ist; diese typisch englische Haltung gegenüber dem Rest der Menschheit spiegelt sich in mancher bürokratischer Gewohnheit wider, etwa wenn auf Formularen unter der Rubrik »Religiöses Bekenntnis« vorgedruckt steht: Falls nicht Mitglied in der *C of E*, bitte ANDERE ankreuzen.

Der eigentliche Zweck von Religion ist in England eher pädagogischer Natur. Sie dient dazu, den Einheimischen Wertvorstellungen und Verhaltensregeln einzuimpfen, die im weiteren Sinne als christlich gelten, wenn man jedoch genauer hinsieht, spezifisch englisch sind. Obwohl die *Church of England* ihre Entstehung einer Verzweiflungstat König Heinrichs VIII. verdankt, der sich unbedingt von seiner Frau scheiden lassen wollte, hält eben diese Kirche die Ehe bis auf den heutigen Tag offiziell für sakrosankt. Wahrscheinlich müßte sie sich selbst neu erfinden, falls ein anderer Throninhaber dem Kirchengründer nachzueifern gedenkt.

So wie es die Engländer sehen, ist die Kirche für die Menschen gemacht und nicht umgekehrt. Dieser Glaube ist so tief in den Engländern verwurzelt, daß sie wahrscheinlich das toleranteste Volk auf Erden sind, wenn es um den Glauben geht. Moscheen, Schreine, Synagogen und Tempel gibt es in England zuhauf, und die Engländer können gar nicht verstehen, warum sich die übrige Menschheit immer wieder so leidenschaftlich über etwas erregt, was für sie selbst allenfalls an Feiertagen für ein wenig Abwechslung sorgt und für manche Großereignisse des Lebens wie Geburt, Heirat, Tod den angemessenen festlichen Rahmen abgibt.

Kultur & Medien

England ist das Land von Shakespeare, Lord Byron, Dickens und Beatrix Potter. Der erste auf dieser Liste ist, darüber ist sich die ganze Welt einig, ein Menschheitsgenie schlechthin, ein Gigant der Literatur, an dem sich alle Dichter der vergangenen vierhundert Jahre messen lassen müssen. Die folgenden beiden sind würdevolle Namen, deren Werke in jedem einigermaßen anspruchsvollen literarischen Haushalt auf dem Bücherregal vertreten sind. Aber mit dem literarischen Schaffen der vierten Person auf der Liste sind die Engländer am besten vertraut. Denn die ersten drei haben sich in ihren Werken hauptsächlich mit Menschen befaßt, wohingegen Beatrix Potter über Tiere schrieb, und den Engländern sind Tiere allemal lieber, und sie verstehen sie einfach besser.

So kommt es, daß das englische Publikum bei der Erwähnung von Peter Rabbit, Mrs. Tiggy Winkle und Jeremy Fisher sofort aufs warmherzigste reagiert, während diejenigen, die sich der Leiden von Hamlet, Coriolan oder Othello via Lektüre aussetzen, zwar intellektuell stimuliert werden, dabei aber emotional völlig cool bleiben.

Es mögen anderen Völkern bei der Ansprache des jungen Königs Heinrich V. an seine Soldaten kurz vor der

Schlacht von Agincourt Schauer über den Rücken laufen oder Tränen aus den Augen, wenn Julia ihren Romeo anfleht – die englischen Leser aller Altersgruppen greifen nach den Taschentüchern, wenn sie hören, wie Jemima Puddleduck den Fuchs überlistet, den Hut zurechtrückt, aus dem Kochtopf entwischt und einen weiteren heiteren Tag vor sich hat.

In der allgemeinen Beliebtheitsskala wird Beatrix Potter dicht gefolgt von dem sinistren A. A. Milne, dessen *Winnie-The-Pooh* – ein Buch, das von einem Erwachsenen für Erwachsene geschrieben wurde, aber als Kinderbuch gilt – von Erwachsenen ihr Leben lang immer wieder gelesen wird.

Fernsehen

Allenfalls durchs Fernsehen kommt die Mehrheit der Engländer in ihrem Leben gelegentlich mit so etwas wie »Kultur« in Berührung.

Natürlich widmet sich auch das englische Fernsehen in erster Linie der Sportberichterstattung; um die exklusiven Übertragungsrechte der publikumswirksamsten Sportereignisse finden wahrhafte Titanenkämpfe zwischen den großen Fernsehgesellschaften statt. Aber selbst den Engländern wird das Zuschauen bei Sportübertragungen irgendwann zuviel. Um dem an Wettkämpfen aller Art stets interessierten englischen Publikum entgegenzukommen, nehmen die Fernsehverantwortlichen eine große Zahl von Quiz- und Gameshows ins Programm auf. Außerdem werden zwar reichlich

Nachrichtensendungen und Diskussionsrunden produziert sowie der eine oder andere Fernsehmehrteiler. Aber diese ziehen zwischen der geradezu schwindelerregenden Masse von importierten und eigenproduzierten Seifenopern und Miniserien, die sich allergrößter Wertschätzung erfreuen, nur mit Mühe die Aufmerkamkeit der Zuschauer auf sich. Ansonsten gibt es noch jede Menge alter Filme, an denen sich die Engländer niemals satt sehen können.

Fernsehsendungen, die sich an intellektuell anspruchsvollere Teile der englischen Gesellschaft wenden, werden vorzugsweise zu nachtschlafender Zeit ausgestrahlt; auf diese Weise wird sichergestellt, daß die Mehrheit des Publikums nicht damit belästigt wird.

Zeitungen & Zeitschriften

Während sich der Durchschnittsfranzose auf dem Weg zur Arbeit in einen Roman vertieft, liest der Engländer die Zeitung. Der Appetit der englischen Leserschaft auf Sensationsnachrichten, Klatschgeschichten und Skandale ist unersättlich. Der Zeitungs- und Zeitschriftenmarkt auf der Insel ist daher eine Goldgrube für diese Art von Printmedien; tatkräftige Unternehmer aus aller Welt können daher der Verlockung nicht widerstehen, sich bis aufs Messer um die Besitzanteile der einzelnen Blätter zu bekämpfen, um sich einen möglichst großen Batzen zu sichern.

Eigentlich versteht kein Mensch, warum das so ist. Hinsichtlich der Aktualität und unmittelbarer, heißer

Berichterstattung kann die gedruckte Presse nicht mit
Radio und Fernsehen konkurrieren. Vielleicht liegt es
daran, daß die Engländer zu Neuigkeiten ein ähnliches
Verhältnis haben wie zu ihrem Wetter: Sie lieben es eher
unterkühlt. Oder es liegt vielleicht daran, daß sie insgeheim glauben, daß alles, was man erst im nachhinein
betrachten kann, wirklich mehr Wirklichkeit für sich
hat.

Darstellende Kunst & bildende Kunst

Was das englische Theaterleben heutzutage hauptsächlich am Leben erhält, sind Gruppenbuchungen für neue
Produktionen alter Musicals oder für das neueste
Andrew-Lloyd-Webber-Spektakel. Für so etwas bezahlen
die Engländer beinahe jeden Preis. Wenn Lloyd Webber
eines Tages einen Stoff von Beatrix Potter auf die Bühne
bringt, werden die Eintrittspreise astronomisch sein und
die Säle trotzdem ausverkauft bis auf den letzten Platz.

Bei dem, was im Kino läuft, stehen die Dinge nicht viel
besser. Gerüchte, die besagen, das englische Filmschaf-
fen sei seit dreißig Jahren tot, haben sich als etwas übertrieben erwiesen, und sogar ausländische Filme werden
jede Woche von Tausenden von englischen Zuschauern
gesehen. Aber auch der Engländer geht eben gerne mal
ab und zu vor die Haustür.

Wenn sie genau das tun und dabei auch noch ihre Kin-
der mitzerren wollen, begeben sich die Engländer ins
Museum oder in Ausstellungen, wo sie und ausländische
Touristen sich gegenseitig auf die Zehen treten und wo

man Souvenirs und Reproduktionen weltberühmter Kunstwerke erstehen kann.

Bei dieser Art von Kunstgenuß sind die Engländer leicht ein wenig verunsichert, weil sie der Verdacht beschleicht, sie könnten als Banausen geoutet werden. Im großen und ganzen orientiert sich der Kunstgeschmack der Engländer nach wie vor an dem der weiland Königin Victoria: mit einer deutlichen Präferenz für große Formate und möglichst viel Menschen und Tieren drauf. Wenn das Bild »eine Geschichte erzählt«, dann gibt es für die Engländer auch »etwas zu sehen«. Wenn es »abstrakt« ist, dann gibt es eben »nichts zu sehen«, und sie können nichts damit anfangen.

In ihrem Verhältnis zur Kunst sehen sich die Engländer im allgemeinen lieber in der Rolle des Mäzens als der des Künstlers. Für die meisten ist Kultur ein Luxus, und zu viel Luxus ist gefährlich.

Organisationen & Institutionen

Tradition bestimmt fast jeden Aspekt im Leben der
Engländer. Und wenn es um die Organisationen & Insti-
tutionen geht, die die Grundlage des öffentlichen Lebens
der Engländer bilden, so finden sich hier englische Traditionen in Reinkultur.

Öffentliche Verkehrsmittel

Es ist Tradition, daß Züge nicht pünktlich abfahren, es
sei denn, man kommt selbst zwei Minuten zu spät. Und
obwohl es im Tarifgefüge der Eisenbahn unglaublich
viele Vergünstigungen gibt, ist es außerdem Tradition,
daß ein billiger Sondertarif niemals zu einer Zeit oder an
einem Tag gültig ist, an dem man selbst verreisen
möchte.

Aber trotz all ihrer Unzulänglichkeiten stellt die Eisenbahn eine Facette des englischen Alltagslebens dar, an
der die Herzen der Engländer mehr hängen, als sie es
eigentlich verdient. Nach wie vor gibt es jene urtypisch
englischen Exzentriker, die in ihren Anoraks an den
Schienensträngen lauern und *trainspotting* betreiben.

Und im kollektiven Gedächtnis der Engländer gibt es immer noch jene dunkle Erinnerung an das goldene Zeitalter der Eisenbahnreisen, als *Edith Nesbit's Railway Children* mit ihren Petticoats dem Zugführer zuwinkten und auf diese Weise ein desastöses Unglück verhinderten.

Das Warten auf die Busse ist in den englischen Städten immer eine harte Geduldsprobe, denn traditionsgemäß fahren die Busse im Konvoi und nicht in sinnvollen kürzeren Abständen. Wenn man schon seit einer Ewigkeit an der Haltestelle steht, und die Stimmung in der Warteschlange kurz davor ist, in Kannibalismus umzuschlagen, tauchen unter Garantie am Ende der Straße drei oder vier Busse derselben Linie auf. Man bekommt immer entweder alles oder nichts.

Welches Transportmittel man auch immer benutzt, man kann regelmäßig davon ausgehen, daß man sich verspäten wird. Das liegt daran, daß die Engländer, entgegen der vorherrschenden Meinung, keineswegs von Natur aus pünktlich sind. Es entspricht hierzulande durchaus der Höflichkeit, wenn man zu einem verabredeten Termin oder, wenn man eingeladen ist, ein paar Minuten zu spät erscheint. Benutzt man für den Weg dorthin öffentliche Verkehrsmittel, kann man schon aufgrund dessen sicher sein, daß diesem Gebot der Höflichkeit Genüge getan wird.

Freie Fahrt

Das Auto ist für die Engländer ein wichtiges und überaus beliebtes Statussymbol. Folglich fahren auf englischen Straßen viel zu viele Wagen herum.

So gut wie jeder Engländer und so gut wie jede Engländerin, die älter als siebzehn Jahre sind, besitzen ein Auto oder können wenigstens eines benutzen, und sie alle machen reichlich Gebrauch davon. Das führt zu nichts anderem als zu endlosen Staus und akuter Parkraumnot in den Städten und zum Stillstand des Verkehrs auf den Schnellstraßen. Aber die Engländer lassen sich davon nicht abschrecken, mit dem Wagen zu fahren, auch wenn sie ein verlängertes Wochenende an einem der Feiertage größtenteils hinter dem Steuer verbringen, weil sie im Verkehr steckenbleiben.

Aufmerksamen Besuchern aus dem Ausland fällt ziemlich schnell auf, daß in England, anders als überall sonst auf der Welt, die Automobile in Fahrtrichtung rechts gesteuert werden, weshalb man logischerweise von Linksverkehr spricht. Engländern bereitet das besonderes Vergnügen, wenn sie mit ihren Autos ins Ausland fahren, wie auch umgekehrt die Ausländer die Umstellung auf den englischen Linksverkehr für eine kinderleicht zu bewerkstelligende, völlig harmlose und ungefährliche Abwechslung halten. Aber Linksverkehr gehört in England eben auch zur Tradition, und deswegen ist ihnen Rechtsverkehr nicht recht.

Im großen und ganzen verhalten sich die Engländer im Verkehr durchaus anständig. Von der Hupe wird nur sparsam Gebrauch gemacht, und es ist üblich, an Kreuzungen die Vorfahrt zu beachten.

Da Verkehrsvorschriften und Verkehrszeichen mit großer Sorgfalt befolgt werden, bleiben die Engländer an Fußgängerüberwegen, die mit einem Blinklicht versehen sind, immer stehen, selbst wenn weit und breit kein Fußgänger in Sicht ist. Taucht auch nur von Ferne ein solcher auf, bringen sie erst recht den Wagen abrupt zum Stehen und warten seelenruhig ab, bis der Mensch den Übergang erreicht und die Fahrbahn gekreuzt hat. Viele Ausländer finden das ungewöhnlich, da sie üblicherweise bereits auf dem Gehweg das Kreuz vor der Brust schlagen und dann wie ein Hase über die Straße flitzen.

Eine gute Ausbildung
Diejenigen Eltern, die es sich leisten können, schicken ihre Kinder in der Regel auf eine *public school*, womit immer eine Privatschule gemeint ist, und meistens handelt es sich dabei um ein Internat. Die Engländer halten Internate für eine gute Sache. Obwohl es einige *public schools* sowohl für Jungen als auch für Mädchen gibt, handelt es sich bei den meisten dieser pädagogischen Einrichtungen um einseitig geschlechtsspezifische Etablissements. Dort bekommen die Insassen schon in einem frühen Lebensabschnitt einen Vorgeschmack auf ein Mönchs- oder Gefängnisdasein.

Die Alternative zu den *public schools* sind die nun wirklich im Wortsinne öffentlichen Tagesschulen, zu denen natürlich jeder Schüler und jede Schülerin Zugang hat. Aber unabhängig davon, ob es sich um eine öffentliche oder um eine Privatschule handelt, es kommt ihnen stets darauf an, eine gute Ausbildung zu bieten, denn in England ist die Ansicht vorherrschend, daß man für das, was man im späteren Leben daraus macht, selbst die Verantwortung trägt.

Wie so vieles andere, was zum *English way of life* gehört, bewegen sich auch Erziehung und Ausbildung in traditionellen Bahnen, und traditionsgemäß muß man einen angemessenen Preis bezahlen, wenn man etwas Ordentliches haben will. Was das bedeutet, liegt auf der Hand: Wenn man nichts bezahlt, bekommt man auch nicht viel dafür.

Staat & Verwaltung

Die Engländer hängen der urdemokratischen Illusion an, sich einer frei gewählten Regierung unterzuordnen.

Sie verfügen über einen hochentwickelten Sinn für persönliche Freiheit und Unabhängigkeit und brauchen das Gefühl, ihr Schicksal selbst in der Hand zu haben, auch wenn die Wirklichkeit anders aussieht. Jede Art von Kontrolle lehnen sie grundsätzlich ab, und wenn sie sich ihr dennoch unterwerfen müssen, halten sie gerne die Fiktion aufrecht, daß es auf freiwilliger Basis geschieht.

Den Staat und seine Verwaltung betrachten die Engländer als notwendiges Übel. Gleichzeitig erwarten sie, daß »alles seine Ordnung hat«. Dieses natürliche Bedürfnis führt dazu, daß die Engländer bürokratische Gebots- und Verbotswucherungen durchaus akzeptieren. Aber innerlich weisen sie sie zurück, teils, weil sie lieber ungehindert schalten und walten möchten, teils, weil sie grundsätzlich gerne meckern.

Die englische Staatsverwaltung und der englische Normenapparat werden, wie alles, was englisch ist, immerhin als die beste ihrer Art weltweit betrachtet, auf jeden Fall tausendmal besser als das, was der Kontinent in dieser Hinsicht zu bieten hat.

Politik

Für die Engländer ist Politik weitestgehend ein harmloses Spiel, so etwas wie das Umsortieren der Liegestühle auf der Titanic. Unziemliche Mätzchen und lautstarker Aufruhr, wie sie in ausländischen Parlamenten vorkommen, sind nichts für die Engländer.

In ihren Augen kann man keinem einzigen Politiker über den Weg trauen. Diese haben nichts anderes als ihre eigenen Interessen im Sinn, und für sie kann man eigentlich nur Verachtung übrig haben. Allenfalls wenn man englische Politiker mit denen anderer Länder – und vor allem mit denen in Brüssel – vergleicht, vermag man ihnen noch die eine oder andere positive Seite abzugewinnen.

Wie dem auch sei, wenn es um die Parlamentswahlen geht, fühlen sich nicht wenige englische Männer und Frauen in die Pflicht genommen und schreiten zur Urne. Die meisten lassen sich bei ihrer Stimmabgabe von der Familientradition leiten, aber einige wenige setzen gelegentlich einmal auch auf ein anderes Pferd, und hinter diesen ist jedermann in der Regierung für ein paar Wochen wie der Teufel hinter der armen Seele her.

Tief im Innern sind die Engländer ein konservativer Haufen und schrecken vor jeder Art von Veränderung zurück, weswegen sich eben auch wenig ändert.

In der Mutter der Parlamente, in Westminster (in einem Gebäude, das im vergangenen Jahrhundert in einem Stil gebaut wurde, der es noch einmal fünfhundert Jahre älter aussehen lassen sollte), gehen die englischen Politiker ihren Geschäften mit viel historischem Gepränge und teilweise sogar in historischer Kostümierung nach. Wie überall sonst im englischen Leben mischen sich auch hier andauernd Kontinuität und Konfrontation. Das beste Beispiel hierfür aus der jüngsten Geschichte bietet die zehnjährige Herrschaft einer Kriegerfürstin – die man für eine Reinkarnation aus längst totgeglaubter Zeit halten könnte –, die am Schluß den fatalen Fehler beging, es mit den Konfrontationen zu weit zu treiben. Denn wie jeder Engländer weiß, gilt auch in der politischen Domäne nicht nur der schöne Grundsatz: »Alle für einen«, sondern gelegentlich auch das Prinzip: »Ein für allemal«. Solidarität, wie sie die Engländer verstehen, führt oftmals dazu, daß sie Rücken an Rücken stehen und dabei in beide Richtungen nach draußen blicken. Wie bei dem Kinderspiel »Reise nach Jerusalem« sollte man nicht das Risiko eingehen, außerhalb des Kreises zu landen.

Die Engländer erkennen immer, wenn eine Gefahr von außen kommt, die ihren *way of life* zu zerstören droht. Dann reiht sich auch über politische Gräben hinweg kalte Schulter an kalte Schulter, so daß man an der Heimatfront geschlossen dem Feind trotzen kann.

In England herrscht allgemeine Übereinstimmung darüber, daß diese permanente Bedrohung von außerhalb der Grund dafür ist, daß es hierzulande nie eine wirklich revolutionäre Erschütterung gegeben hat. Selbst in den Zeiten, als so etwas überall sonst auf der Welt gang und gäbe war, haben die Engländer dieser Versuchung widerstanden. Seine Kräfte in einer Revolution zu verschleißen hätte bedeutet, daß man die Wachsamkeit am Ärmelkanal nicht hätte aufrechterhalten können. Und hätte man dem Kanal den Rücken zugekehrt, hätten die

Franzosen einem mit Sicherheit den Dolch in denselben gestoßen.

Da im englischen Geschichtsunterricht die Lektion in wirklichem gesellschaftlichen und politischen Aufruhr, der das Oberste zuunterst und das Unterste zuoberst gekehrt hätte, ausgefallen ist, hat sich am *English way of life* auch nie etwas Grundlegendes verändert.

Typischerweise haben die Engländer selbst aus diesem Mangel eine Tugend gemacht, die sich in den politischen Zuständen widerspiegelt. Es ist kein Zufall, daß die parlamentarische Szene in England von zwei politischen Parteien beherrscht wird, die sich nicht etwa Republikaner, Demokraten, Christdemokraten oder Sozialdemokraten nennen oder sonst einen sentimentalen Etikettenschwindel betreiben, sondern Konservative und Arbeiterpartei. Das erstere ist ein Reflex auf den Grundzug des englischen Lebens, der darin besteht, daß nichts sich verändert, das zweite stellt auf die für England nicht weniger fundamentale puritanische Ethik ab, die die Arbeit um ihrer selbst willen glorifiziert.

Darüber hinaus gibt es, wir wissen es, noch eine dritte politische Gruppierung, die Liberalen. Diese haben ihren Namen einfach in jeder Hinsicht völlig falsch gewählt, und er hängt ihnen wie ein Klotz am Bein. Daß sie ihn dann auch noch in Liberaldemokraten geändert haben, macht die Sache noch schlimmer. So gelangen sie nie an die Macht.

Verbrechen & Strafe

Der englische Bobby – und selbstverständlich auch die englische Bobbine –, die auf Streifengang unterwegs sind und die man nach dem Weg oder nach der Uhrzeit fragen kann und die einem höflich Auskunft geben, die gibt es wirklich.

In einer Welt, die sich an waffentragende Vollstreckungsbeamte gewöhnt hat, welche den Weg zum nächstgelegenen Park sicherlich kennen, mit dieser Information aber bestimmt nicht herausrücken werden, ist dieser englische Ordnungshüter, beziehungsweise die Ordnungshüterin, eine Kuriosität.

In dicht geschlossenen Reihen sind diese Herren (und Damen) seit jeher bei jeder Gelegenheit zugegen, bei der sich eine größere Anzahl von Menschen unter freiem Himmel versammeln, und sorgen auf diese Weise für ein beruhigendes Gefühl von Traditionsbewahrung. Eigentlich sind sie immer und überall zugegen, außer, so sehen es die Engländer, wenn sie wirklich einmal gebraucht werden.

Anders als ihre kontinentaleuropäischen und transatlantischen Kollegen werden sie nie auf der Stelle eine Geldbuße kassieren, und sie werden nur in den seltensten Fällen unverhältnismäßige Gewalt anwenden. Sie werden einen allenfalls verwarnen oder verhaften und anschließend im Gerichtssaal auftreten, um dem Richter und den übrigen Nebendarstellern zu erklären, warum einer mit Geldstrafe belegt, ins Gefängnis gesteckt oder auf eine Galeere verschleppt gehört.

Die Engländer erwarten von ihrer Polizei, daß diese über jeden Tadel erhaben ist. Wenn gegen sie Korrup-

tionsvorwürfe oder Anklagen wegen brutaler Vorgehens-
weisen erhoben werden, sind die Engländer bis ins Mark
erschüttert, trotz des Umstands, daß dies der Stoff ist,
aus dem Krimiserien im Fernsehen gemacht werden. Die
Engländer sind jedoch der Meinung, daß das Leben niemals die Kunst imitieren sollte. Sie scheinen keine Probleme damit zu haben, das eine zu akzeptieren und
gleichzeitig das andere abzulehnen, und zeigen sich
stets aufs neue schockiert, wenn wieder einmal irgend-
welche häßlichen Tatsachen ans Tageslicht kommen.

Gefängnisse

Englische Gefängnisse sind, so die vorherrschende Meinung, überbelegt und schlecht ausgestattet. Die Gefan-
genen lernen dort schnell, wie man wirklich zum Krimi-
nellen wird, und Fälle von erfolgreicher Resozialisierung
sind ziemlich dünn gesät. Die Engländer werden sich der
Mängel ihres Strafvollzugssystems immer deutlicher
bewußt und beobachten genau, welche Maßnahmen in
anderen Länder mit welchem Erfolg ergriffen werden.

Ein ehemaliger Schüler eines der privaten Internate,
der wegen Betrugs einsaß, hat unterdessen zu Protokoll
gegeben, daß nach seiner Beobachtung sein früherer
Aufenthalt in der teuren Bildungsanstalt die optimale
Vorbereitung auf das war, was ihn im Gefängnis erwar-
tete – mit dem Unterschied, daß er sich im Gefängnis um
ein klein weniges wohler gefühlt hat.

Recht & Gesetz

Das englische Recht baut, wie so vieles andere im englischen Leben, auf Präzedenzfällen auf. Das heißt, was früher recht und billig war, muß auch heute noch gut sein.

Dieses Rechtssystem, das auf eine recht undogmatische Weise auf den Prinzipien von Recht und Unrecht basiert, ist für den englischen Durchschnittsbürger undurchschaubar und für die meisten Ausländer vollends unbegreiflich.

Der Vorgang der Rechtsfindung wird wie ein dramatisches Theaterstück in historischen Kostümen aufgeführt, wobei die klassischen Hauptrollen in jeweils unterschiedlichen Nuancen auf den Inhaber der richterlichen Gewalt, den Schurken und das Unschuldslamm verteilt sind. Immer wieder aufs neue jonglieren diese drei mit Wahrheit, Halbwahrheit und Unwahrheit bei ihrer heroischen Anstrengung, das erstere oder das letztere zu bestätigen oder zu widerlegen. Und um schließlich, wenn die Schuld des Angeklagten erwiesen ist, dafür Sorge zu tragen, daß die Strafe dem Verbrechen angemessen ist. Es ist der ganze Stolz des englischen Rechtssystems, daß bisweilen in der Tat Gerechtigkeit obwaltet.

Geschäfts- & Arbeitsleben

In den Augen der übrigen Welt haben die englischen Geschäftsleute immer noch amateurhafte Züge. Anscheinend ziehen sie es vor, sich eher auf ihren Geschäftsinstinkt zu verlassen als auf Analysen und methodisches Vorgehen. Daher verlieren sie im globalen Wettbewerb manchmal den Boden unter den Füßen.

Einige der tatkräftigeren Mitglieder der englischen Geschäftswelt versuchen ihre Kollegen mit kämpferischen Reden anzufeuern, indem sie ihnen vor Augen führen, daß sie ansonsten ins Hintertreffen geraten. Diese tapferen Streiter sind auf internationalen Ausstellungen und Messen leicht an ihren Faxgeräten, tragbaren Telefonen und an ihren Namensschildchen zu erkennen. Den Schrecken der Isolierung wissen sie zu entfliehen. Sie stehen mit jedermann in jeder Zeitzone zu jeder Zeit in Kontakt. Wie lange sie benötigen, um auch ihre Landsleute zu vernetzen, bleibt abzuwarten.

Was die europäischen Angelegenheiten anbelangt, so haben sich die Engländer bisher ausgesprochen zurückhaltend gezeigt. Ein schwacher Trost lag in der früheren Bezeichnung der Gemeinschaft als »Gemeinsamer Markt«, wobei alles, was mit »Gemeinsamkeit« zu tun hatte, als zu vernachlässigender Faktor galt. Eine Europäische Union, die aus den nachfolgenden Umtaufungen derselben Sache hervorgegangen ist, hat in England, wie vorauszusehen war, nicht viele Anhänger finden können, da der Gedanke daran immer noch mit Einstellungen verbunden ist, die von tiefer Skepsis bis zu unverhülltem Abscheu reichen. Nur wenige sind bereit, in dieses Wasser hineinzuspringen. Wie furchtsame Schwimmer laufen sie am Rand des Schwimmbeckens auf und ab, bis irgend jemand, dem sie vertrauen, ihnen zuruft: »Wenn man einmal drin ist, ist es ganz wunderbar!« Das Problem ist: Wem kann man in dieser Angelegenheit wirklich trauen?

Sich durchwursteln

Im englischen Geschäftsleben wird die Alltagspraxis von einer ungewöhnlichen Hingabe an demokratische Prinzipien beherrscht. Da einsame Entscheidungen als gefährlich angesehen werden, wird beinahe jede Entscheidung von einem Komitee gefällt. Dies hat solche Ausmaße angenommen, daß man pausenlos zu hören bekommt, der englische Geschäftsmann oder die Geschäftsfrau, die man zu erreichen versucht, befinde sich gerade »in einem Meeting«. Also sitzen sie wieder einmal dort und versuchen, einen Konsens zu erreichen, statt eine Entscheidung zu fällen.

Der weitverbreitete Aberglaube, daß die Engländer mehr arbeiten als andere Völker, wurde zutiefst erschüttert, als nachgewiesen wurde, daß die effektive Arbeitszeit der Deutschen im Durchschnitt bei 44, 9 Stunden pro Woche, die der Italiener bei 42, 4 und die der Engländer bei 42, 0 lag. Natürlich waren die Engländer schnell bei der Hand, darauf hinzuweisen, daß sowohl die Italiener als auch die Deutschen viel mehr Feiertage haben, und überhaupt käme es sowieso mehr auf die Qualität als auf die Quantität der Arbeit an.

Die Engländer halten sich auch auf ihre Fähigkeit, sich durchzuwursteln, sehr viel zugute. Bei dieser Methode wickelt man seine Geschäfte ab, ohne sich allzu große Sorgen um die Einhaltung der Vertragsbedingungen und eine gewisse Vorausplanung zu machen. In der Vergangenheit ist man damit gut gefahren, und aus der Vergangenheit lernt der Engländer all das, was zu lernen ihm genehm ist.

In guter Gesellschaft

Englische Firmen sind im allgemeinen nach traditionellem Strickmuster organisiert. Das bedeutet, daß sie wie eine vielschichtige Pyramide aufgebaut sind mit einer vertikalen Kommandostruktur, die oben beim Geschäftsführungsvorsitzenden und dem *Managing Director* beginnt und bis hinunter zur letzten Aushilfe reicht.

Darin spiegelt sich die Klassenstruktur, die den Kern des *English way of life* bildet, und in der Tat ist es so, daß viele, die die gehobenen Umgangsformen beherrschen, sich allein aufgrund dessen auch in den gehobenen Positionen des Geschäftslebens behaupten können. Denn obwohl die Engländer von Natur aus mißtrauisch und skeptisch sind, wenn es um Geschäfte geht, sind sie eigenartigerweise gleichzeitig bereit, ein gewisses Vertrauen und sogar ihr Geld auf eine Vereinbarung hin zu investieren, die mit nichts anderem als einem Handschlag besiegelt wurde. Noch eigenartiger ist allerdings, daß dies meist zu funktionieren scheint.

Befehls-Form

Die Engländer haben es nicht gerne, wenn man ihnen sagt, was sie tun sollen. Jede Anweisung muß daher mit einem Grad an expliziter Höflichkeit vorgetragen werden, über den sich andere Völker nur wundern können.

Wenn man sich an diese Sitte hält und eine Anweisung in die Form einer Bitte kleidet, wird man mühelos den gewünschten Effekt erreichen. Bellt man nur einen Befehl los, der an jeden und niemanden gerichtet ist, so werden die Engländer unweigerlich eine Teepause einlegen.

Ausgesprochenes & Unausgesprochenes

Im Gespräch, vor allem in mehr oder weniger plaudern-
der Konversation, sind die Engländer am rätselhaftesten.
Denn sie sagen selten, was sie meinen, und manchmal
das genaue Gegenteil davon.

Wenn man also gegenüber einem Engländer oder
einer Engländerin eine Geschichte zum besten gibt, die
den Ausruf *»How interesting!«* provoziert, sollte man
dies nicht zum Nennwert nehmen. Solch ein mattes Lob
kommt in ihren Augen einer vernichtenden Kritik gleich.

Wenn sich ein Engländer oder eine Engländerin nach
der Gesundheit eines anderen erkundigt, wird man unweigerlich die Anwort provozieren: »Kann nicht klagen.«
Das ist englische Heuchelei in Reinkultur. Denn Murren
und Klagen ist ein nationaler Zeitvertreib. Die Engländer
haben an allem etwas auszusetzen, und nichts entgeht
ihrer Giftspritze. Ihre Gesundheit, der Staat, die Nah-
rungsmittelpreise, junge Leute, alte Leute – alles ist
Wasser auf ihre Mühlen. Abgeklärt nickend und in ihrem
Unbehagen solidarisch vereint, finden sie bei allem ein
Haar in der Suppe. Und zu guter Letzt, wenn sie sich bei

einem langen Klagelied gründlich erholt haben, stimmen sie in das Amen aller Unzufriedenen ein, das da lautet: »Typisch!«

Tricks & Tips in englischer Konversation

Es fällt den Engländern nicht leicht, einfach munter drauflozuplaudern.

Aus diesem Grund hat sich eine verwirrende Vielfalt von metaphorischen Umschreibungen herausgebildet, mit denen selbst die ungebildetsten Engländer vertraut sind und zu denen sie stets Zuflucht nehmen. Dazu gehören Euphemismen, die es ihnen erlauben, Dinge und Themen nicht auszusprechen, die ihnen peinlich sind. Das bedeutet, daß die Engländer nicht einfach sterben, sondern »von uns gehen«, »hinscheiden« oder »das Zeitliche segnen«. Wenn sie sich erleichtern müssen, dann entschuldigen sie sich, indem sie sagen, sie würden »die Hände waschen gehen«, »nach draußen gehen« oder »nach den Pferden sehen«.

Die Engländer klammern sich auch immer wieder an eine ganze Batterie vorgestanzter Phrasen und Fragen, auf die sie immer dann verfallen, wenn es darum geht, ein Gespräch in Gang zu halten oder den eigenen Rückzug zu decken. Zwar schämen sie sich ein wenig wegen deren Abgedroschenheit und bezeichnen sie abfällig auf französisch als *cliché*. Wer mit diesen jedoch geschickt umzugehen versteht, kann sich von einer Phrase zur nächsten hangeln, ohne jemals zu irgend etwas Stellung beziehen zu müssen. Schließlich wird er oder sie zu einem sagen: »Zeit und Gezeiten warten nicht auf Menschen« und sich unauffällig aus dem Staub machen.

Ausländer wissen oftmals nicht, was sie damit anfangen sollen. Das liegt zum Teil daran, daß die Engländer mit diesen Phrasen so vertraut sind, daß sie nur noch bruchstückweise zitieren müssen. Das trifft insbesondere für Gemeinplätze aus dem meteorologischen Umfeld zu, die wirklich jeder kennt und bei denen man sich für den Rest die Mühe spart, etwa »Nach Regen...« oder »Kein Wölkchen...« da stürzen solche Brocken auf einen Fremden ein, von denen er beileibe nicht mit allen etwas anzufangen weiß, und nur die Engländer verstehen, wie wenig sie wirklich zu sagen haben.

Um jedweder Konfrontation in einem Gespräch zu entgehen und um jede Art von Verärgerung und jeden Ausdruck von Freude herunterzuspielen, haben die Engländer Strategien entwickelt, die jeden Ausländer in den Wahnsinn treiben. Es gibt sogar ein besonderes Vokabular für diesen Zweck. Einer der am hellsten leuchtenden Sterne an diesem Firmament ist das kleine giftige Wörtchen *nice*.

Nettigkeiten
Nice – »nett« ist das am stärksten überbeanspruchte Wort in der englischen Sprache. Sein wahrer Sinn kann nur aus dem jeweiligen Zusammenhang erschlossen werden.

Weil es im wesentlichen unspezifisch und inhaltslos ist, kann es praktisch bei jeder Gelegenheit zur Anwendung gebracht werden, wenn es darum geht, eine Erwiderung hinsichtlich eines Gegenstandes, der einen grundsätzlich nicht besonders interessiert, zum Ausdruck zu bringen. Das kann sich auf alles beziehen, vom Wetter über die Wagenpflege bis hin zum Wein.

In seiner negativen Form: *not very nice* – nicht sehr nett – werden alle möglichen Unarten beschrieben, vom Nasebohren bis zum Kannibalismus.

Die Engländer werden von frühester Jugend mit *nice* traktiert. Als Kinder wird ihnen unerwünschtes Betragen mit der Ermahnung »Nette Jungen (oder Mädchen) tun so etwas nicht!« ausgetrieben, und sobald sie in der Lage sind, selbst ein halbwegs vernünftiges Gespräch zu führen, wissen sie dieses Wort mit tödlicher Wirkung zu gebrauchen.

Sie gehen sogar so weit, Ältere in sarkastischem Ton zu imitieren – eine sehr beliebte Masche –, um ihr eigenes schlechtes Benehmen zu unterlaufen: »*That's nice! That's very nice!*«, wobei der Ton die Musik macht. Sarkasmus, je dicker aufgetragen desto besser, gehört ohnedies zum englischen Standardrepertoire.

Wettervorhersagen

Wenn es das Thema Wetter nicht gäbe, wären die Engländer einer ihrer wichtigsten Vielzweckwaffen ihres Konversationsarsenals beraubt.

So unberechenbar wie ihre Bewohner sind die meteorologischen Zustände auf den Britischen Inseln. Aufgrund ihrer geographische Lage sind sie allfälligen atmosphärischen Störungen ausgesetzt, so daß die Planung jeglicher Aktivitäten im Freien stets mit Unwägbarkeiten behaftet ist.

Natürlich müssen die Engländer seit Jahrhunderten mit diesem Problem zu Rande kommen. Dennoch hat man den Eindruck, daß sie von Wetterumschwüngen immer wieder völlig überrascht werden. Wenn es schneit, kommen die öffentlichen Verkehrssysteme abrupt zum Stillstand, und erst zu diesem Zeitpunkt beginnt man, über den Import von Schneepflügen aus dem Ausland nachzudenken und die dafür notwendigen Schritte einzuleiten. Jedes Jahr im Frühling führen sintflutartige Regenfälle zu Überschwemmungen und treiben die Bewohner tiefgelegener Häuser regelmäßig auf ihre Dächer. Und im Herbst bringen die unschuldig auch auf Schienen fallenden Blätter den Eisenbahnverkehr völlig zum Erliegen.

Auch wenn späte Frosteinbrüche im Mai hoffnungsvoll keimenden Pflanzen den Garaus machen und Festzelte im Freien von Wolkenbrüchen im Juli weggeschwemmt werden – für die Engländer haben all diese Schicksalsschläge einen höheren Sinn: Sie bieten unendlichen Konversationsstoff. Das Wetter ist nicht nur ihr Lieblingsthema, sondern auch der Lieblingsfeind, über den man endlos herziehen und sich beschweren kann. Wenn es einmal heiß ist, ist es immer gleich »zu heiß«, wenn es kalt ist, herrscht »Eiseskälte«.

Natürlich ist das alles nur leeres Gerede, und man kann jede Wette eingehen, daß der Engländer oder die Engländerin, mit denen man sich darüber unterhält, damit nichts anderes im Sinn haben, als eine Gesprächspause zu überbrücken, sich vor einem anderen Thema zu drücken oder einen bevorstehenden Seitenhieb zu kaschieren. Während sie so harmlos über das Wetter plaudern, versuchen sie wie ein Sumo-Ringer vor dem Angriff die Reaktionsfähigkeit und die Schwachstellen ihres Gesprächspartners zu testen, um ihn dann unerwartet aufs Kreuz zu legen oder aus dem Ring zu steigen.

Handspiel

Den Engländern ist der Gebrauch der Hände während des Sprechens höchst verdächtig. Nervöses Fingerspiel und abgeknickte Handgelenke gelten als unfehlbare Anzeichen für Übertreibung und Unaufrichtigkeit, Effeminiertheit oder ausländische Abstammung.

Wenn man sich mit anderen unterhält, haben englische Hände ihren festen Platz an der Seite eines englischen Körpers, und sie sollen stets sichtbar bleiben. Hände in den Hosentaschen während eines Gesprächs werden als eklatanter Mangel an guten Manieren betrachtet, als hätte derjenige nichts anderes zu tun, als im stillen sein Münzgeld zu zählen oder gar eine versteckte Angriffswaffe bereitzuhalten.

Der Engländer oder die Engländerin werden im allgemeinen von Gesten nur dann Gebrauch machen, wenn dies unumgänglich notwendig ist, etwa bei einer Wegbeschreibung (ausgestreckter Zeigefinger der rechten Hand) oder wenn eine nachdrückliche Warnung ausgesprochen wird (Zeigefinger und Mittelfinger der rechten Hand V- förmig erhoben, Handfläche nach vorne). Diese beleidigende Geste wurde zuerst – wie nicht anders zu erwarten – gegenüber den Franzosen in der Schlacht bei Agincourt von englischen Bogenschützen verwendet. Die Engländer, die sich dabei knapp außerhalb der Reichweite der feindlichen Pfeile befanden, zeigten den Franzosen dadurch an, daß sie immer noch ihre Abzugsfinger hatten, die die Franzosen im Fall einer Gefangennahme abzuschneiden pflegten. Dieses Handzeichen hat bis auf den heutigen Tag überdauert – eine sprechende Geste, die die Einstellung der Engländer gegenüber Ausländern treffend zum Ausdruck bringt.

»...Pauschal«

Paul Bilton
**Die Schweizer
pauschal**
Band 13492

Ken Hunt
**Die Australier
pauschal**
Band 13491

Antony Miall
**Die Engländer
pauschal**
Band 13493

Rodney Bolt
**Die Holländer
pauschal**
Band 13494

Louis James
**Die Österreicher
pauschal**
Band 13392

Martin Solly
**Die Italiener
pauschal**
Band 13395

Stephanie Faul
**Die Amerikaner
pauschal**
Band 13391

Sahoko Kaji
**Die Japaner
pauschal**
Band 13871

N. Yapp/M. Syrett
**Die Franzosen
pauschal**
Band 13393

Alexandra Fiada
**Die Griechen
pauschal**
Band 13764

Drew Launy
**Die Spanier
pauschal**
Band 13396

Stefan Zeidenitz/
Ben Barkow
**Die Deutschen
pauschal**
Band 13394

Fischer Taschenbuch Verlag